하루 한 장 60일 집중 완성

교과도형

초6

F2

공간과 입체

히어로컨텐츠 HEROCONTENS

발행일: 2022년 5월 **발행인**: 이예찬

기획개발: 두줄수학연구소

디자인: 4BD STUDIO **삽화**: 1000DAY

발행처: 히어로컨텐츠

주소: 서울특별시 금천구 서부샛길 632, 7층(대륭테크노타운5차)

전화: 02-862-2220 **팩스**: 02-862-2227

지원카페: cafe.naver.com/eduherocafe **인스타그램**: @edu__hero

하루 한 장 60일 집중 완성 교과도형은

달라진 교과서와 학교 수업 진도에 맞추어 학습자가 체계적으로 도형을 학습할 수 있도록 안내합니다.

이전의 도형 학습이 도형의 정의와 성질을 외우고, 도형의 측정결과를 계산하는 '결과' 중심의 학습이었다면 지금의 도형 학습은 공간에 대한 이해와 해석(공간감각)을 바탕으로 모양을 인식하고 변화를 유추하고 다양한 방법으로 도형을 측정하고 그 결과를 표현하는 '과정' 중심의 학습입니다.
교과도형은 수학교육의 변화와 핵심을 이해하고 올바른 방향을 제시해 주는 든든한 길잡이가 될 것입니다.

하루 한 장 60일 집중 완성 교과도형은

① 공간감각 ② 도형표현 ③ 도형측정을 중심으로 교과서에서 다루는 모든 도형을 체계적으로 학습합니다.

공간감각

도형을 효과적으로 학습하기 위해서는 공간을 이해하고 해석하는 능력, 즉 '공간감각'이 필요합니다.

공간감각은 경험과 상상력을 바탕으로 머릿속에서 도형을 조작하고 결과를 유추하는 능력입니다. 공간감각은 단시간에 길러지지 않으므로 어릴 때부터 꾸준하게 학습하고 구체적인 경험을 쌓는 것이 중요합니다.
'교과도형'의 각 권 마지막에 있는 '도형플러스'는 각 권의 학습목표와 연계하여 공간감각을 한 단계 더 높여줄 수 있는 내용으로 구성하였습니다.

도형표현

공간에 존재하는 도형은 표현되었을 때 더 큰 의미를 가집니다.

- 삼각형을 찾는 것에서 그치지 않고 다양한 삼각형을 직접 그려 보고 왜 삼각형인지 설명하는 것
- 쌓기나무로 만든 모양을 위치와 방향을 사용하여 설명하는 것
- 도형을 여러 가지 기준과 특징에 따라 분류하고 왜 그렇게 분류했는지 설명하는 것
- 도형을 위·앞·옆에서 바라보고 그 모습을 그림으로 표현하는 것 등이 모두 '도형표현'입니다.

'교과도형'은 도형과 관련한 작은 그림에서부터 서술형 문장제까지 도형을 표현하는 다양한 방법을 효과적으로 학습합니다.

도형측정

측정은 도형과 아주 밀접한 관계가 있으므로 도형을 학습하면서 반드시 함께 다루어야 하는 영역입니다.

길이, 각도, 둘레, 넓이, 부피 등 흔히 '도형' 영역이라 생각하는 것이 사실 초등 교육과정에서는 '측정' 영역에 해당합니다. 사각형을 학습하는 것은 도형이지만 사각형의 둘레와 넓이를 구하는 것은 측정입니다. 각의 종류를 학습하는 것은 도형이지만 각도를 재는 것은 측정입니다. 이처럼 길이, 각도, 둘레, 넓이, 부피 등은 결국 도형을 측정하는 것입니다.
'교과도형'은 교과서의 모든 '도형' 영역을 다루었습니다. 여기에 도형과 반드시 연계하여 학습해야 하는 '측정' 영역을 추가로 다루어 더욱 완성된 도형 학습을 할 수 있도록 도와줍니다.

하루 한 장 60일 집중 완성 교과도형은

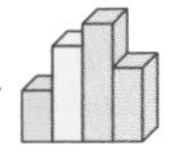

7세부터 6학년까지 총 7단계 21권(단계별 3권)으로 구성되어 있으며 각 권은 매일 한 장씩 4주간 체계적으로 학습할 수 있습니다.

1권, 20일

2권, 20일

3권, 20일

대 상	단 계	구 성
7세 ~ 1학년	P	P1, P2, P3
1학년	A	A1, A2, A3
2학년	B	B1, B2, B3
3학년	C	C1, C2, C3
4학년	D	D1, D2, D3
5학년	E	E1, E2, E3
6학년	F	F1, F2, F3

교과도형의 각 단계는 1, 2, 3권을 차례대로 학습합니다.

교과도형, 한 권이면 충분합니다

교과도형은 공간감각, 도형표현, 도형측정을 중심으로 교과서에서 다루는 모든 도형을 학습하고, 공간감각 향상을 위한 '도형플러스'와 학습 결과를 확인하는 '형성평가'를 제공합니다.

1 주차별 학습

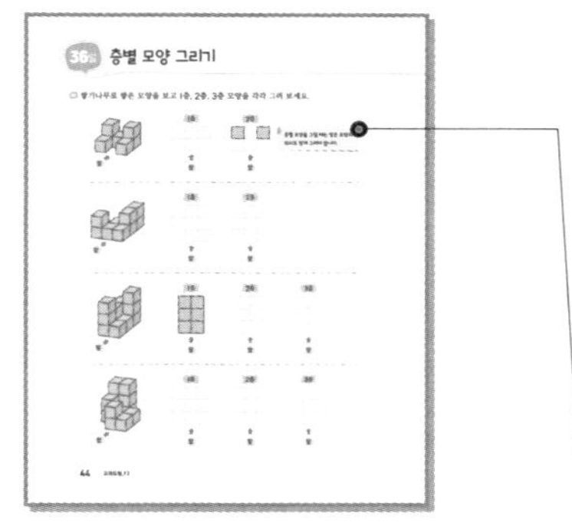

도형 학습의 바탕이 되는 공간감각을 길러줍니다.

도형표현

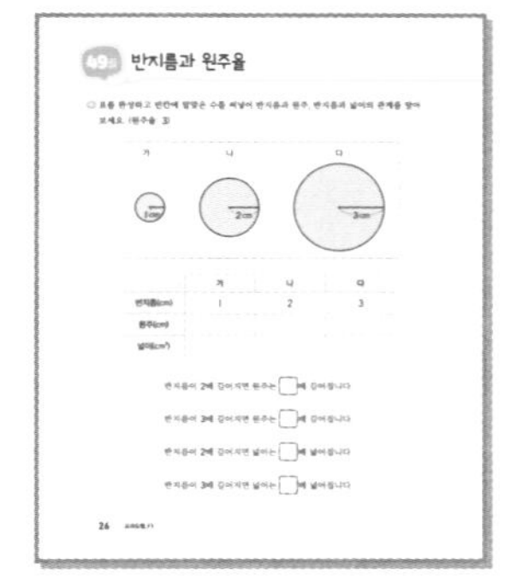

다양한 그림과 문장제로 도형을 표현하는 방법을 배웁니다.

도형측정

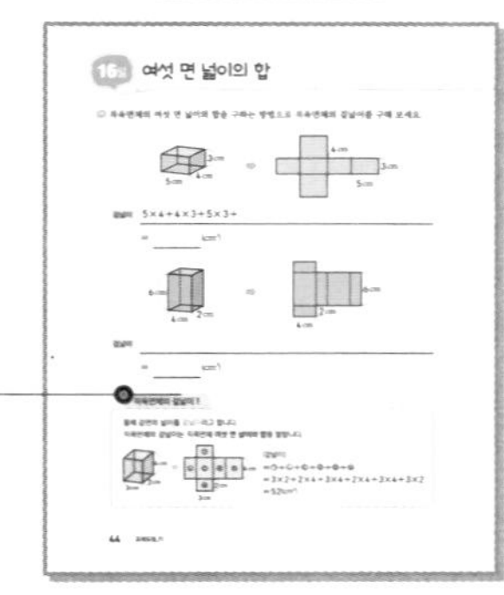

도형 학습에 필수적인 측정을 도형과 연계하여 학습합니다.

[체크 박스]
문제를 해결하는 데 도움이 되는 정보를 제공합니다.

층별 모양을 그릴 때는 쌓은 모양의 위치도 맞게 그려야 합니다.

직육면체의 겉넓이 1

[개념 포인트]
학습할 때 꼭 필요한 기본 개념을 설명합니다.

2 도형플러스

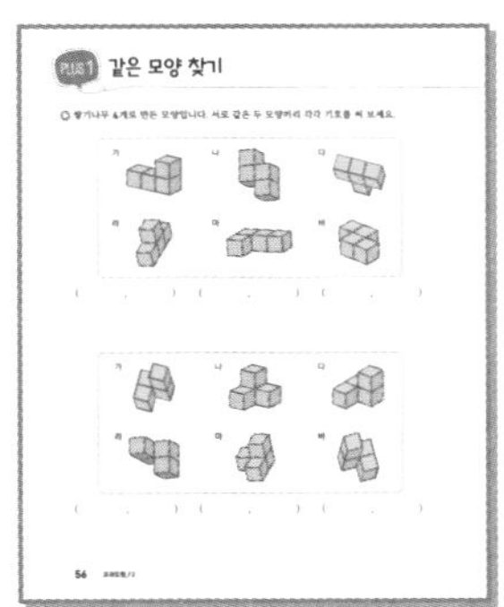

각 권의 학습 주제와 연계하여 공간감각을 더욱 향상시킵니다.

3 형성평가

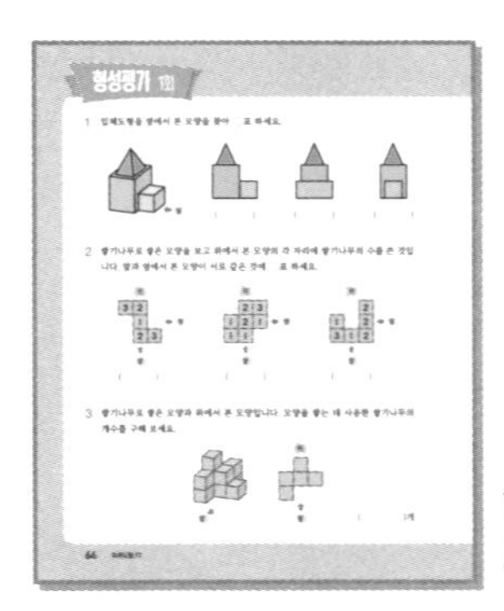

학습한 내용을 다시 한 번 복습하고 정리합니다.

이 책의 차례

1주차
21~25일

여러 방향에서 본 모양

입체도형의 방향

입체도형을 화살표 방향에서 본 모양에 ◯표 하세요.

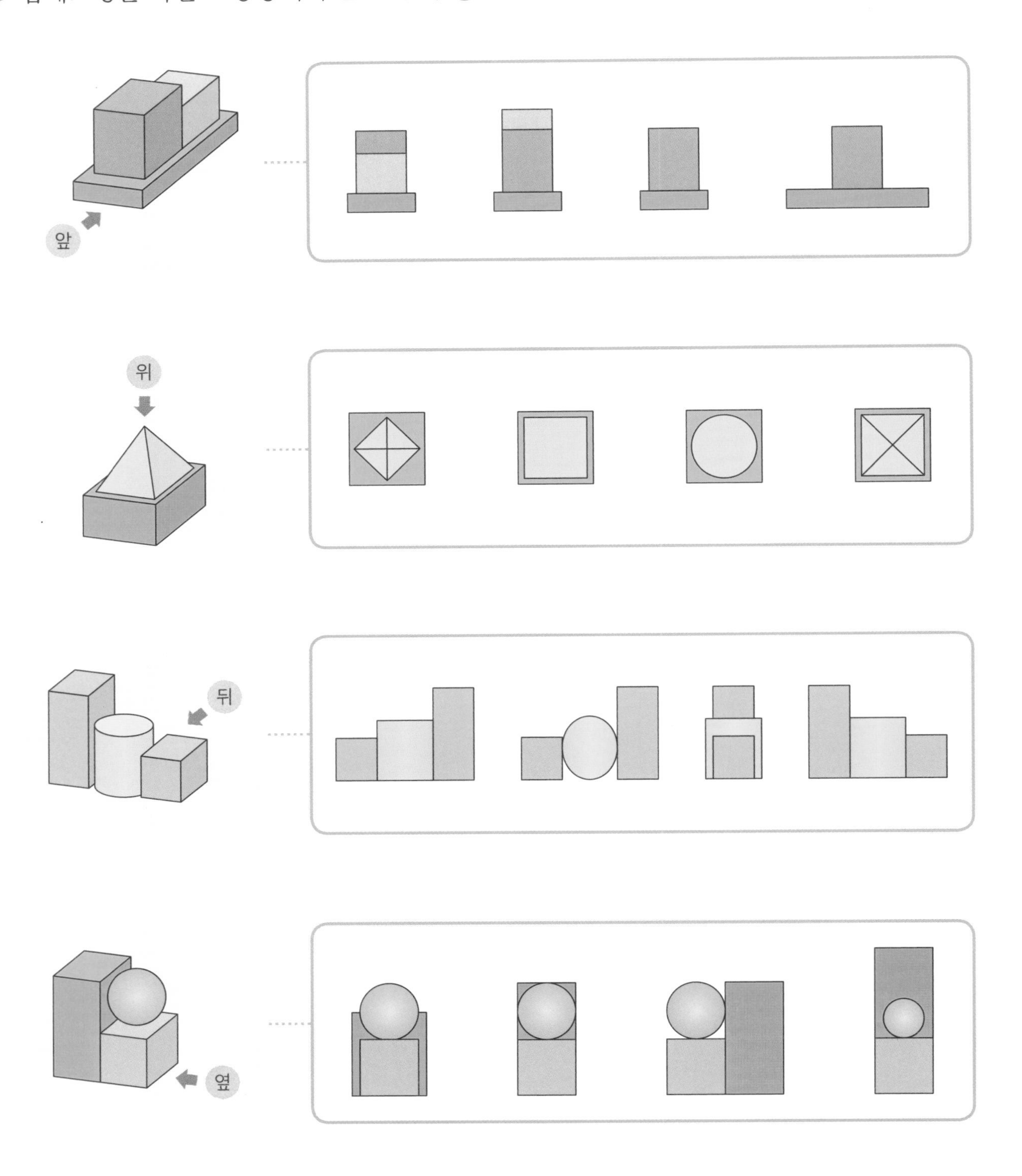

11 입체도형을 여러 방향에서 보았습니다. 각 그림은 어느 방향에서 본 것인지 찾아 기호를 써 보세요.

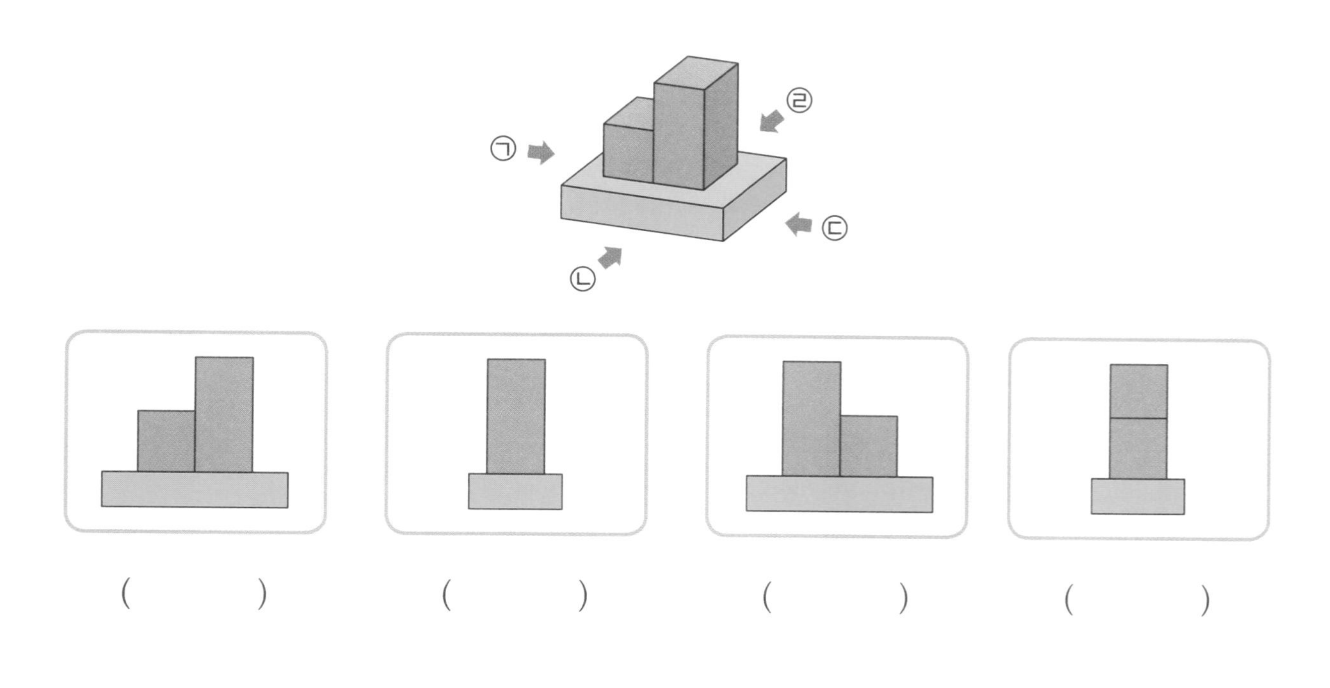

( ) ( ) ( ) ( )

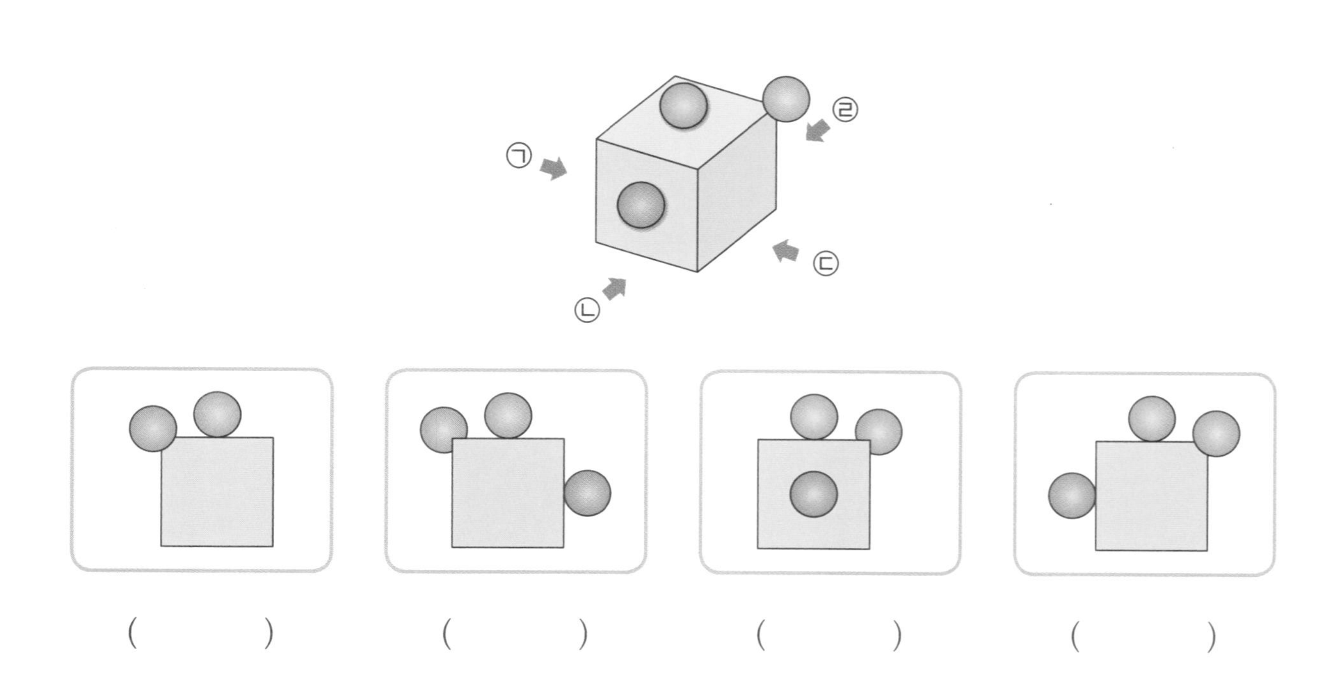

( ) ( ) ( ) ( )

입체도형의 위치와 방향

다음과 같이 공 모양을 놓았습니다. 각 방향에서 본 모양을 알맞게 이어 보세요.

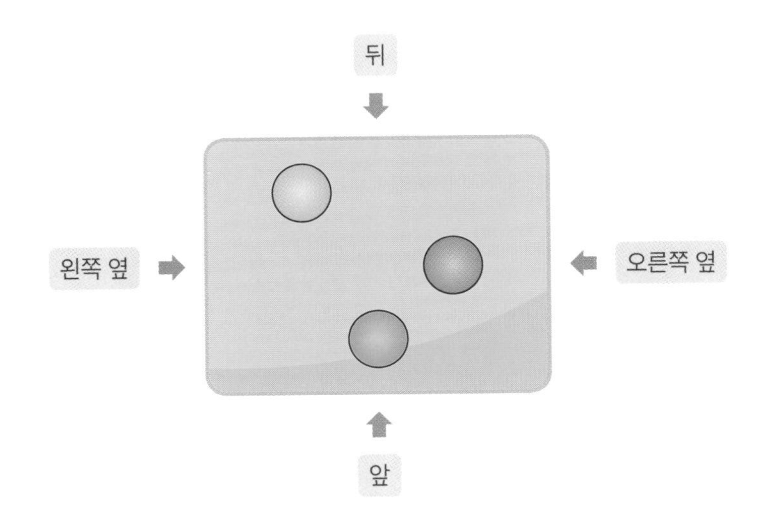

앞 •

앞에서 보면 왼쪽에 연두색 공이 있습니다.

뒤 •

오른쪽 옆 •

왼쪽 옆 •

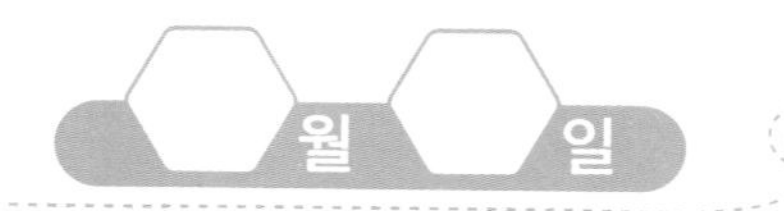

11 다음과 같이 정육면체와 직육면체를 놓고 여러 방향에서 보았습니다. 각 그림은 어느 방향에서 본 것인지 찾아 기호를 써 보세요.

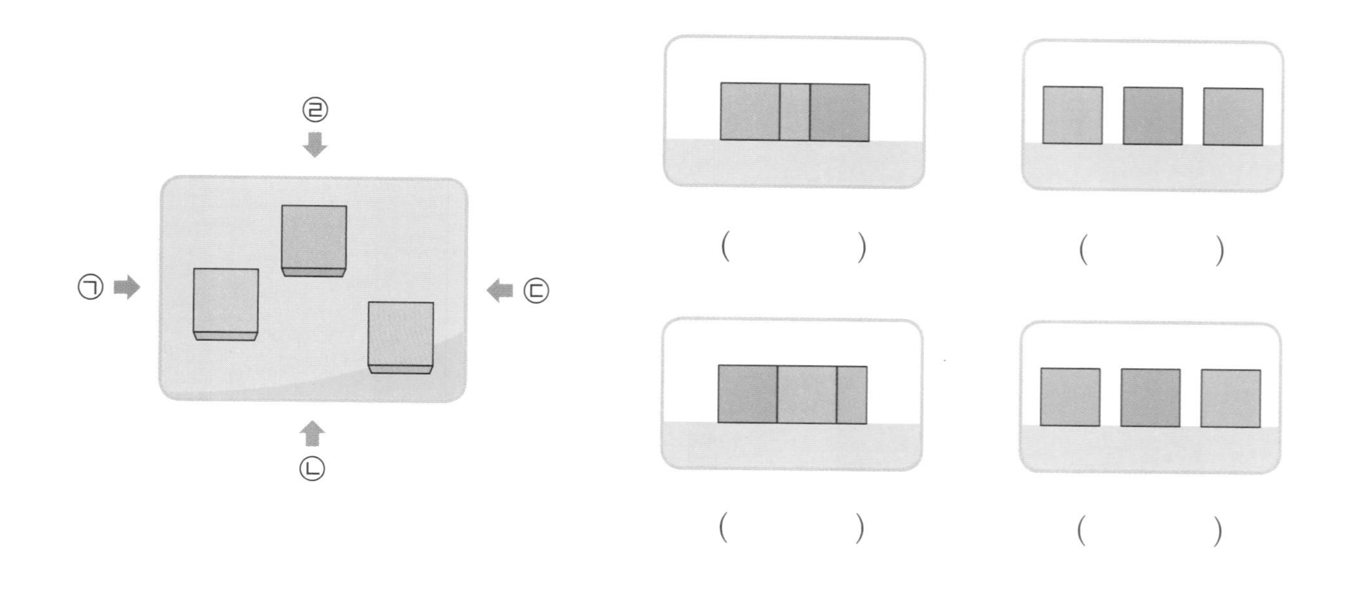

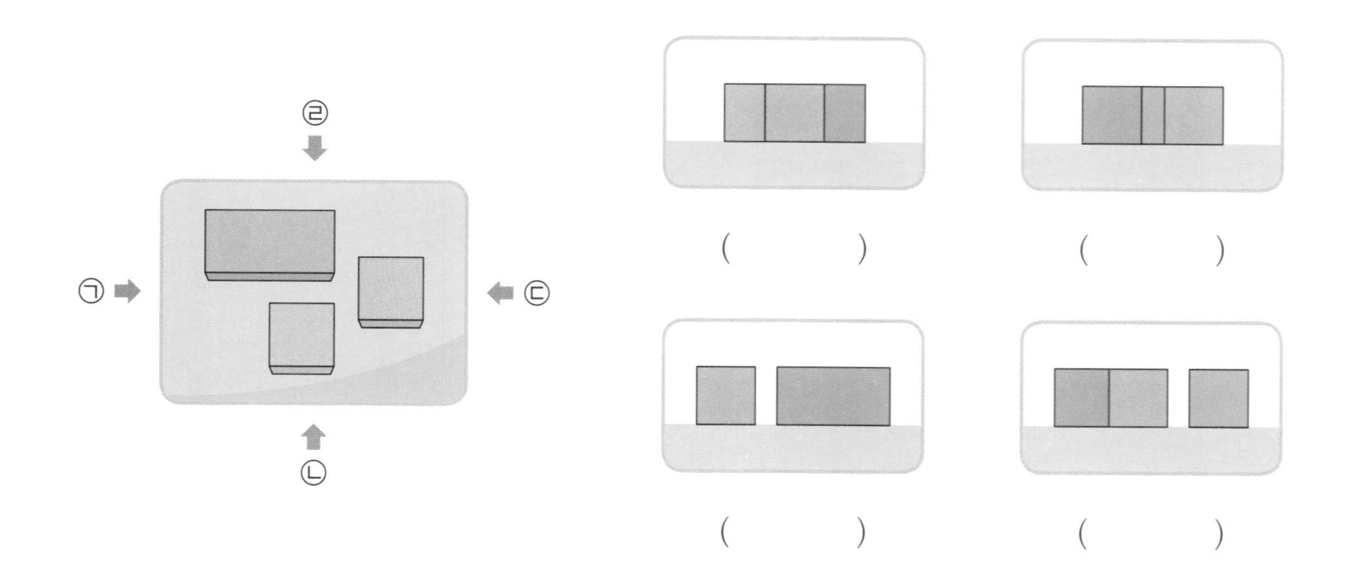

볼 수 없는 모양

입체도형을 여러 방향에서 보았습니다. 볼 수 없는 모양에 ×표 하세요.

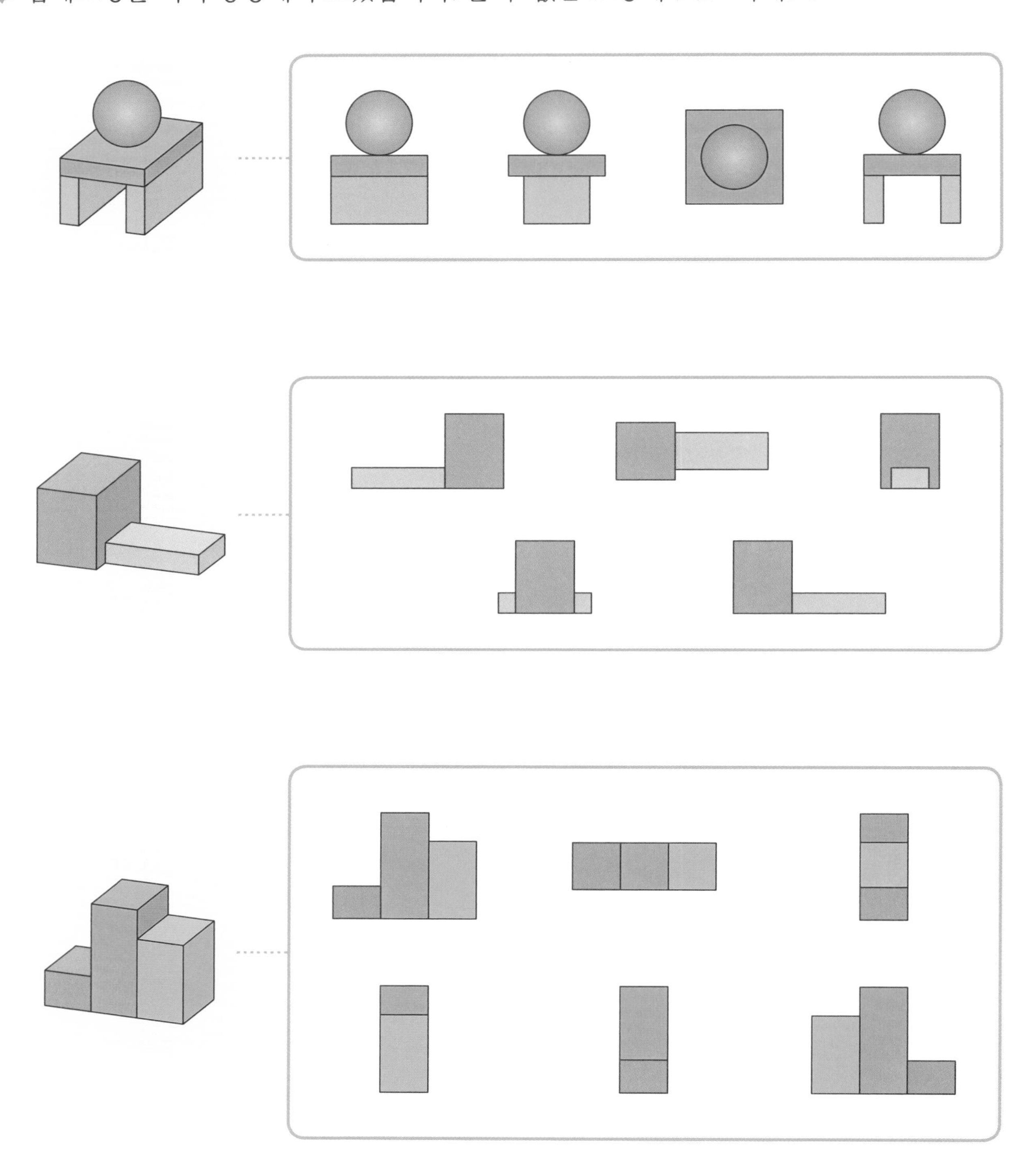

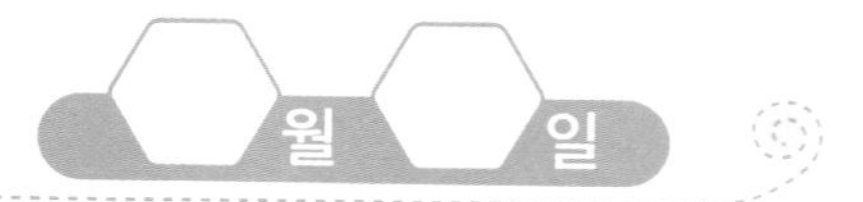

다음과 같이 입체도형을 놓고 여러 방향에서 보았습니다. 볼 수 없는 모양에 ×표 하세요.

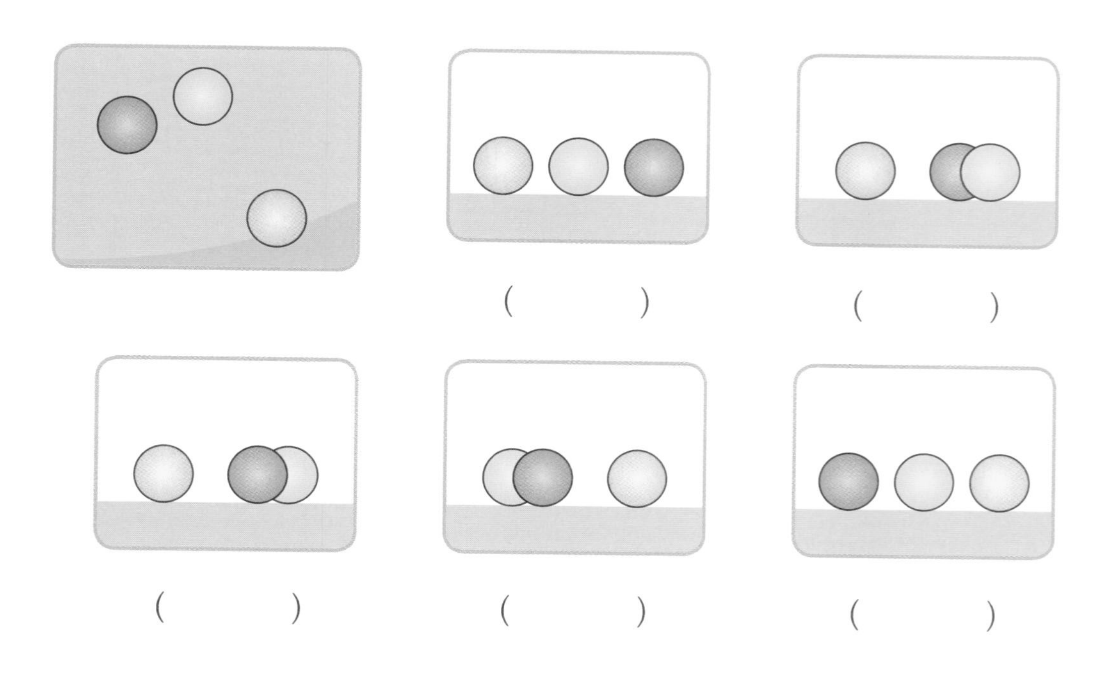

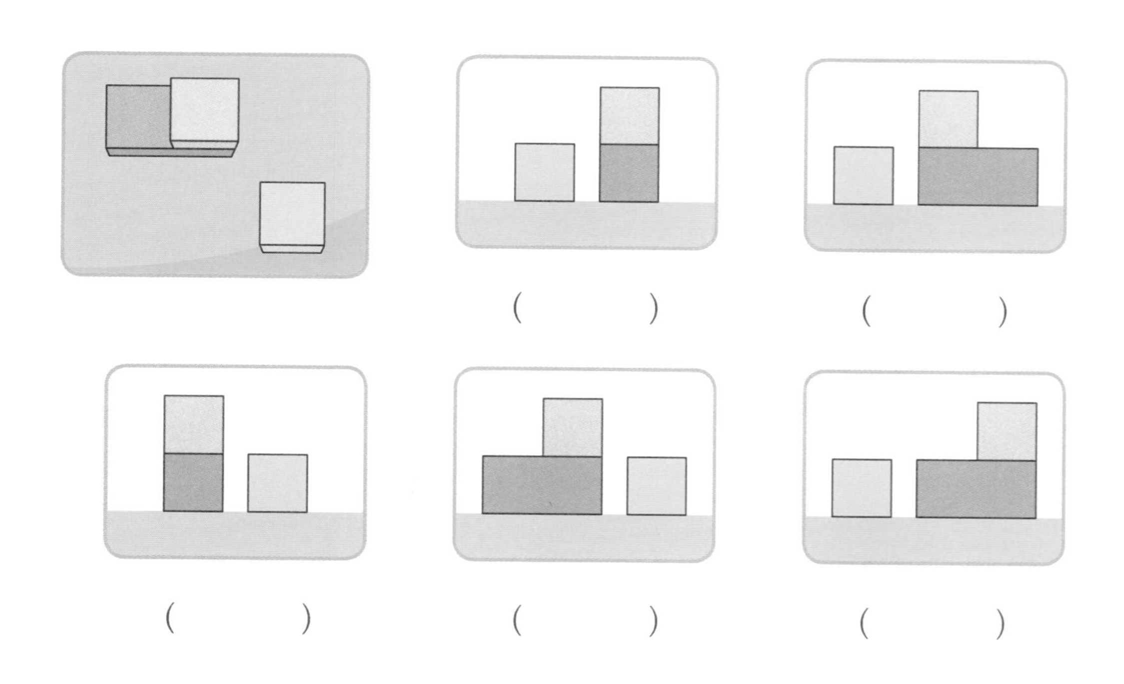

쌓기나무의 방향

다음과 같이 쌓기나무를 쌓았습니다. 각 방향에서 본 모양을 알맞게 이어 보세요.

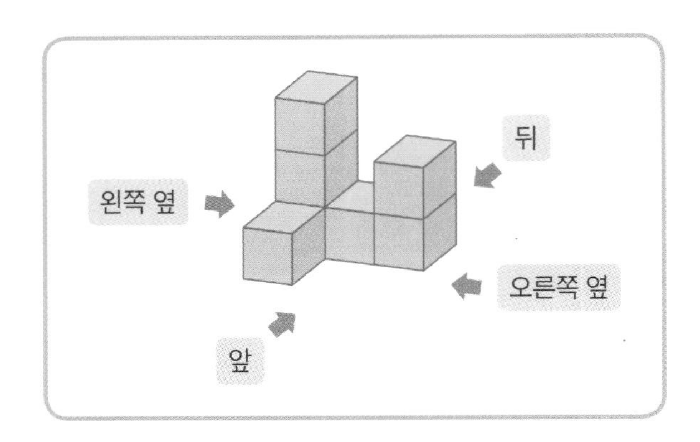

앞 •

뒤 •

오른쪽 옆 •

왼쪽 옆 •

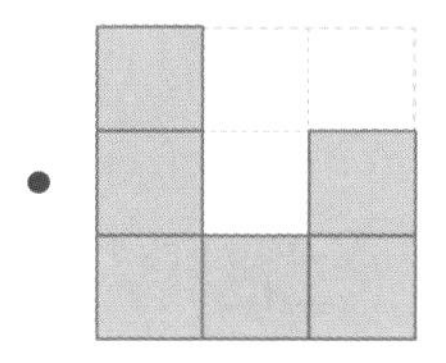

11 다음과 같이 쌓기나무를 쌓고 여러 방향에서 보았습니다. 각 그림은 어느 방향에서 본 것인지 찾아 기호를 써 보세요.

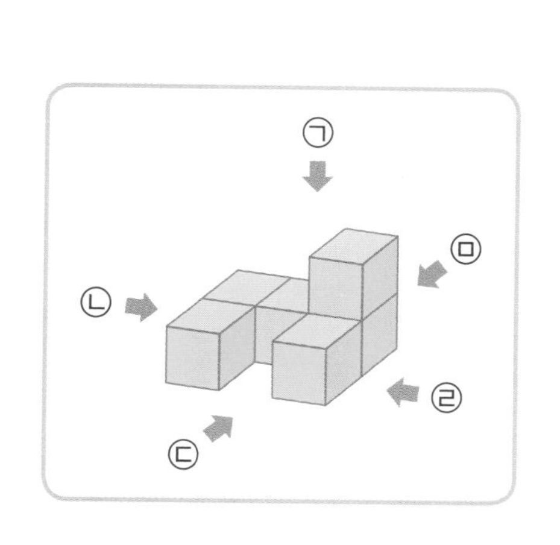

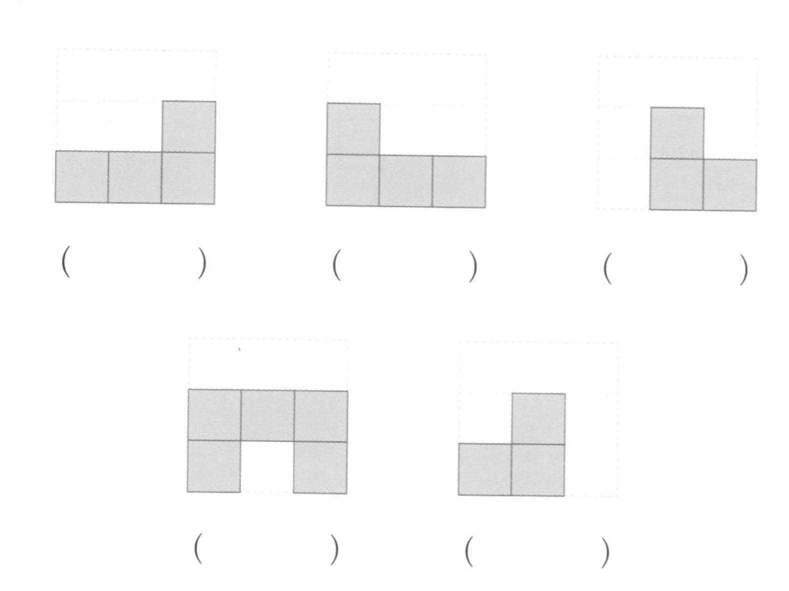

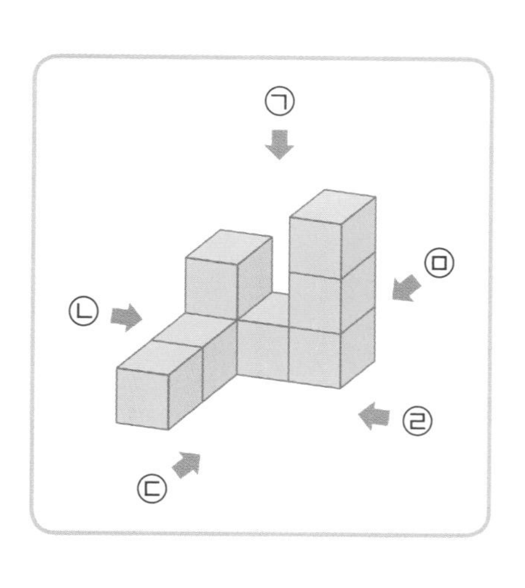

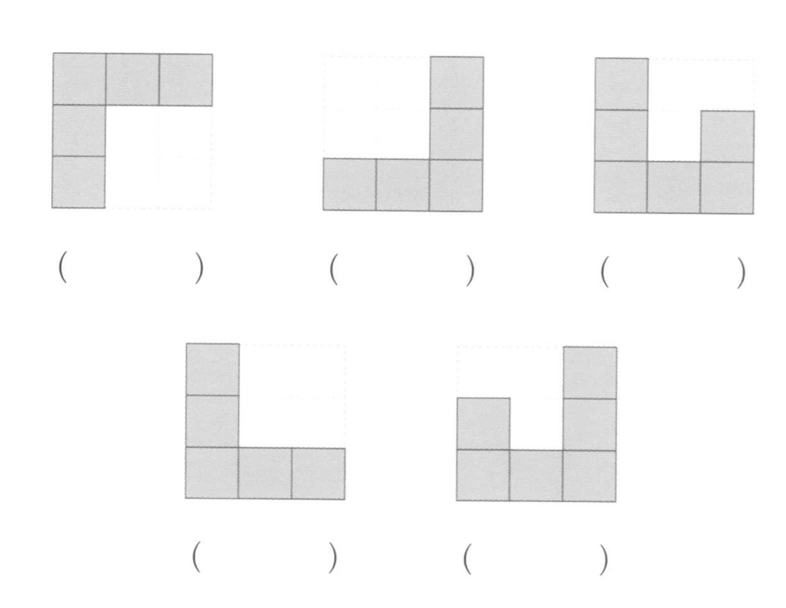

쌓기나무의 위, 앞, 옆

쌓기나무로 쌓은 모양과 위에서 본 모양입니다. 앞과 옆에서 본 모양을 그려 보세요.

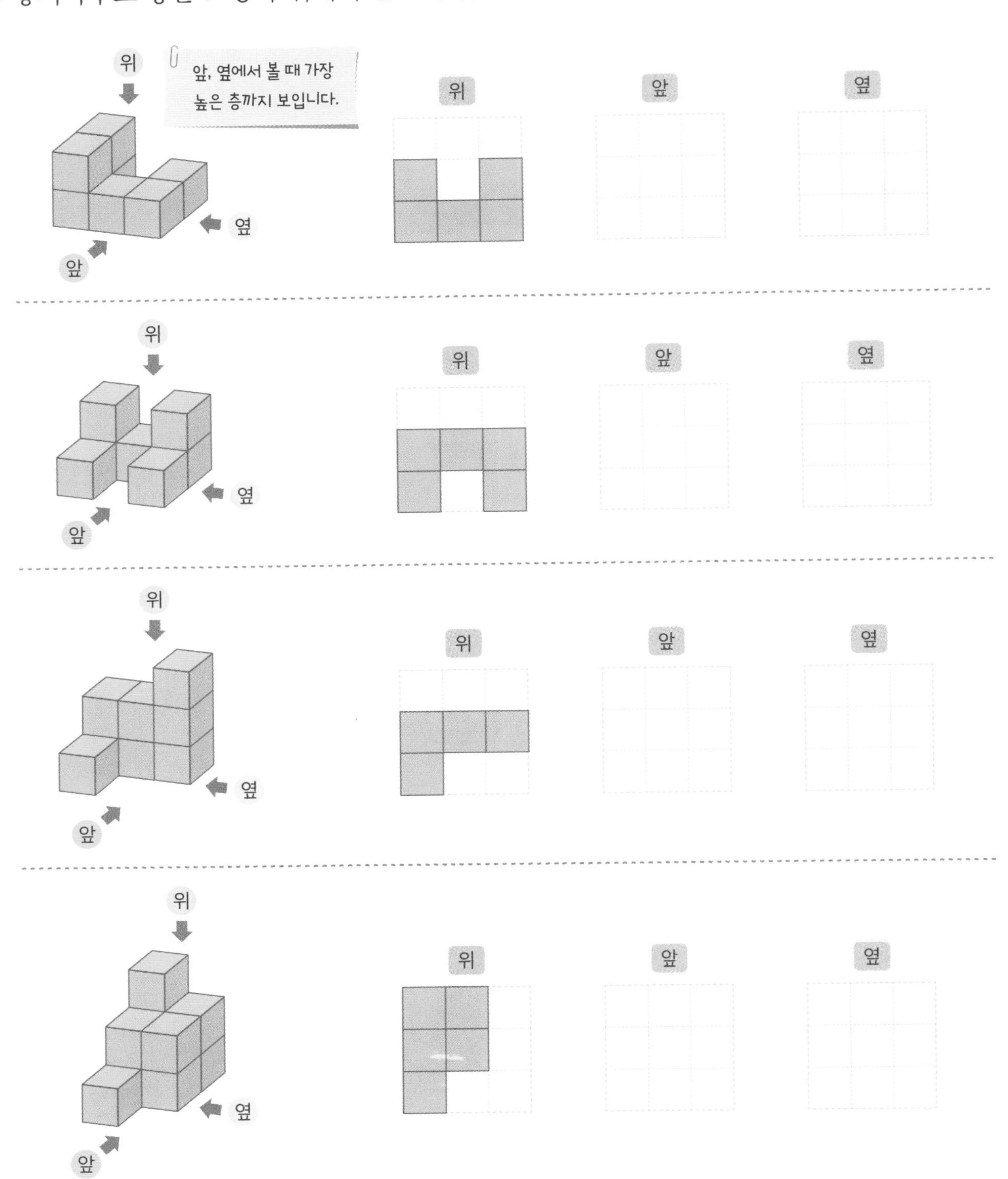

쌓기나무로 쌓은 모양과 위에서 본 모양입니다. 앞과 옆에서 본 모양을 그려 보세요.

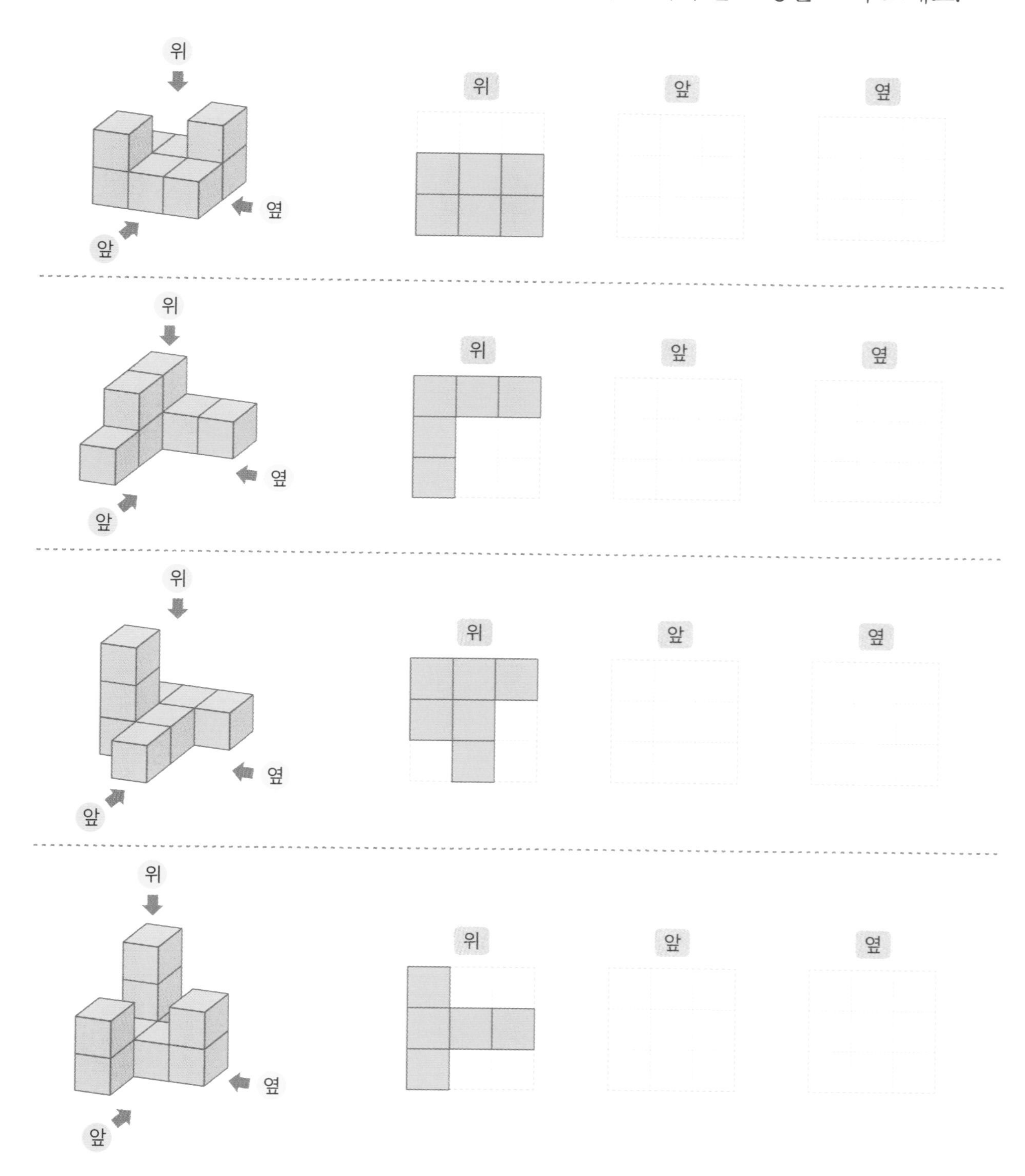

쌓기나무로 쌓은 모양과 위에서 본 모양입니다. 앞과 옆에서 본 모양을 그려 보세요.

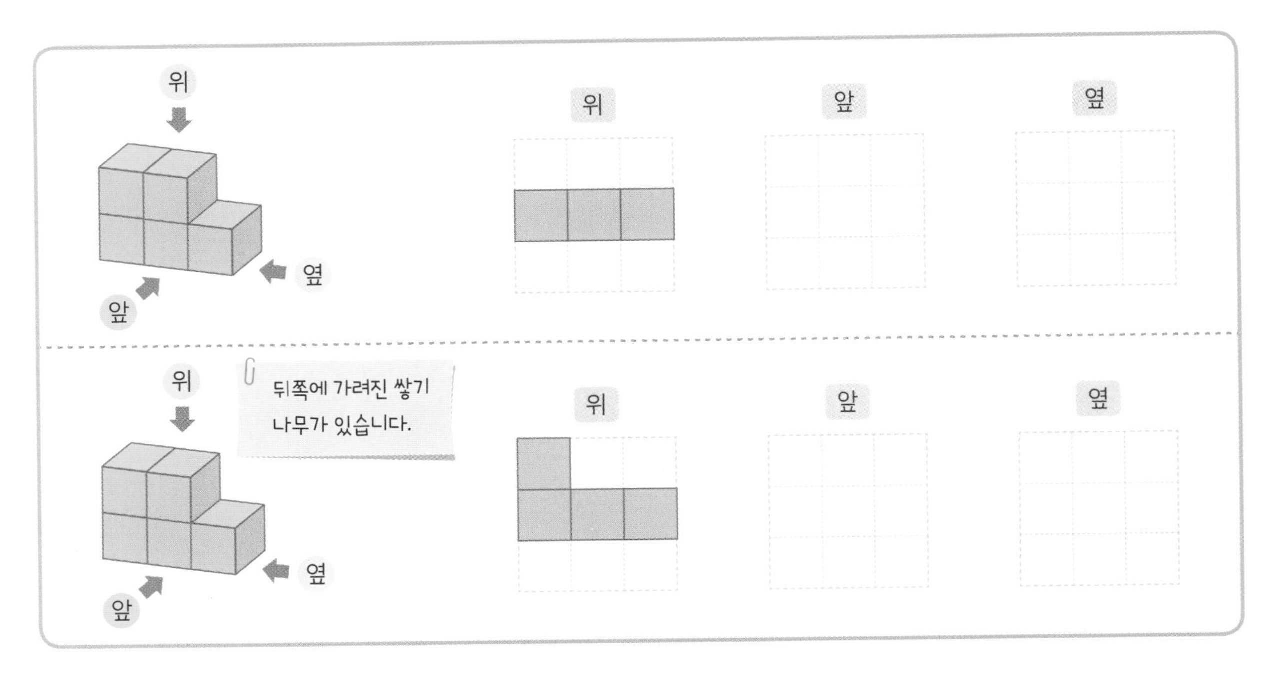

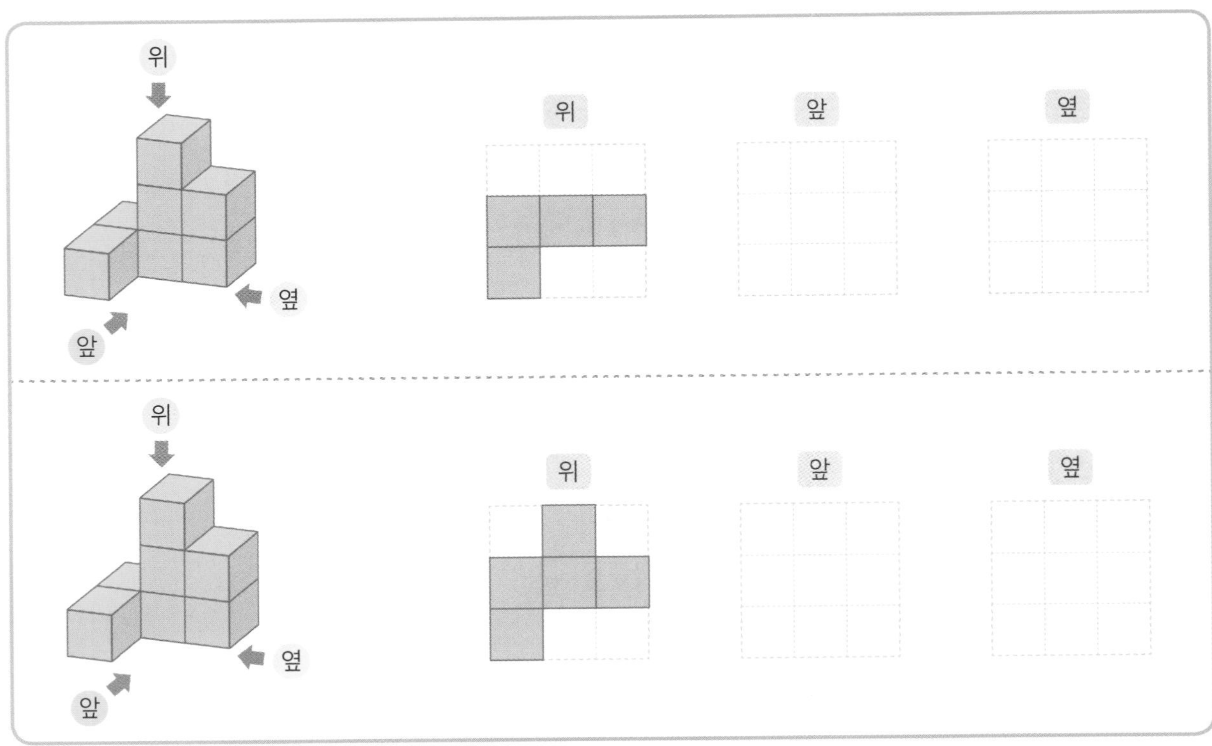

2주차
26~30일

위에서 본 모양

위에서 본 모양

쌓기나무로 쌓은 모양을 보고 위에서 본 모양을 그렸습니다. 알맞게 이어 보세요.

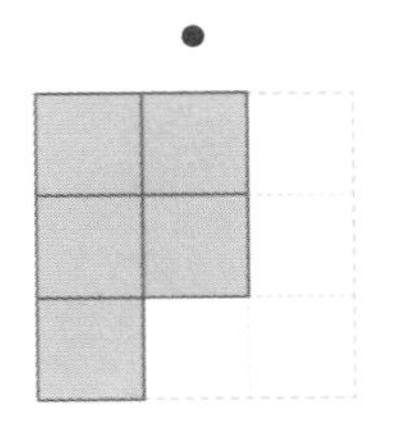
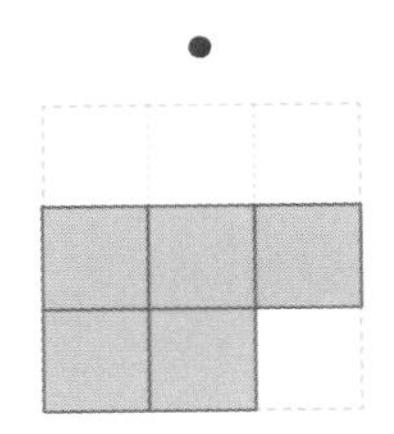
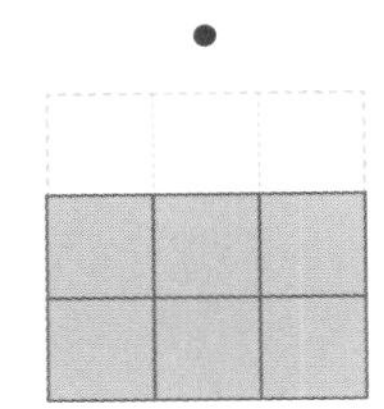
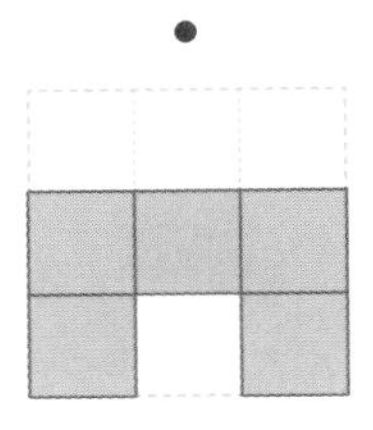

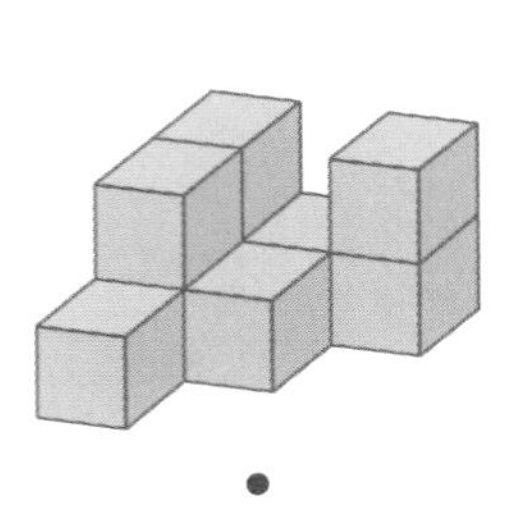

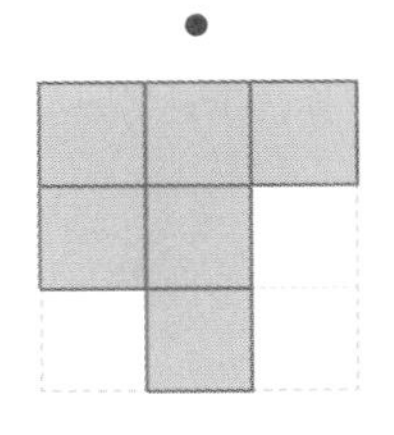
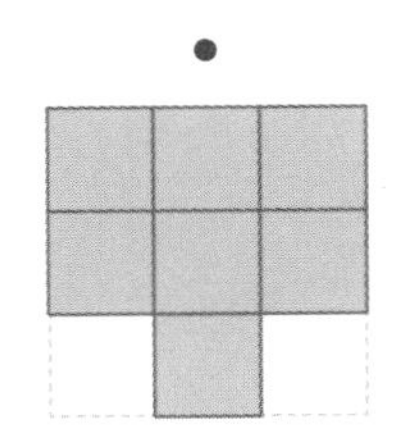
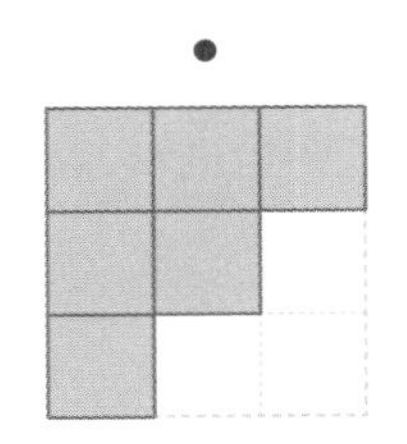
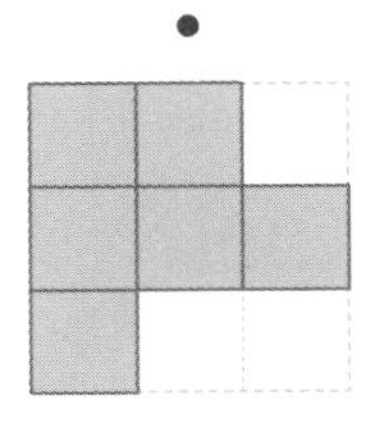

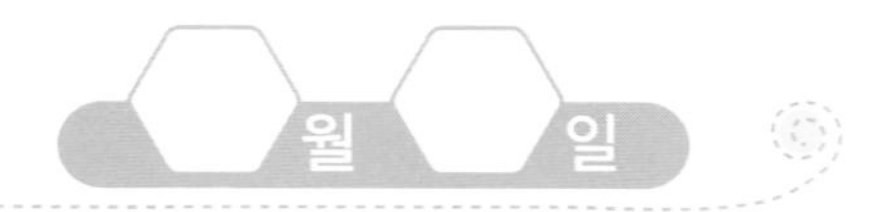

쌓기나무로 쌓은 모양입니다. 위에서 본 모양을 그려 보세요. 단, 뒤쪽에 가려진 쌓기나무는 없습니다.

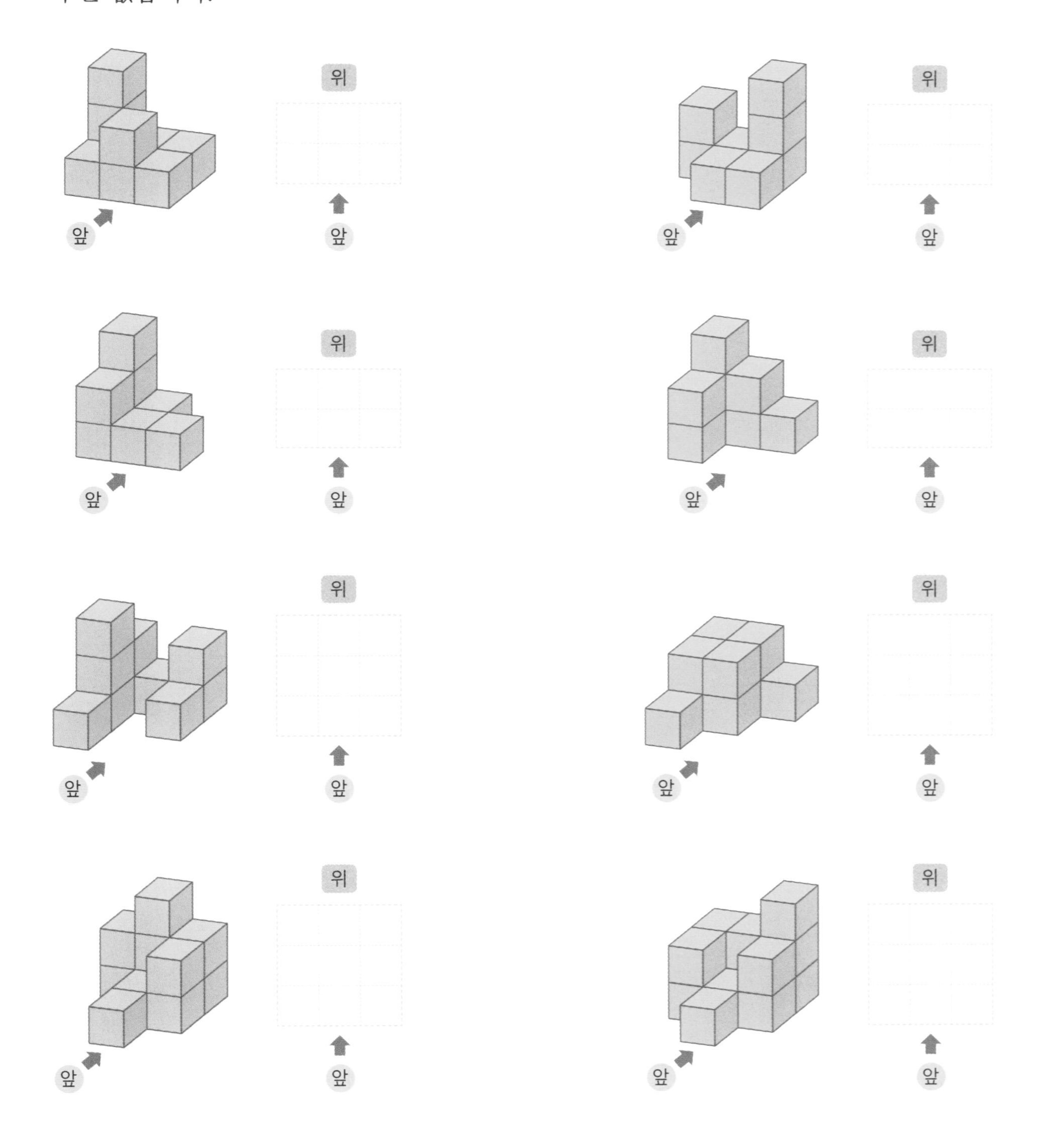

27일 자리별로 수 쓰기

쌓기나무로 쌓은 모양을 보고 위에서 본 모양의 각 자리에 쌓기나무의 수를 썼습니다. 알맞게 이어 보세요.

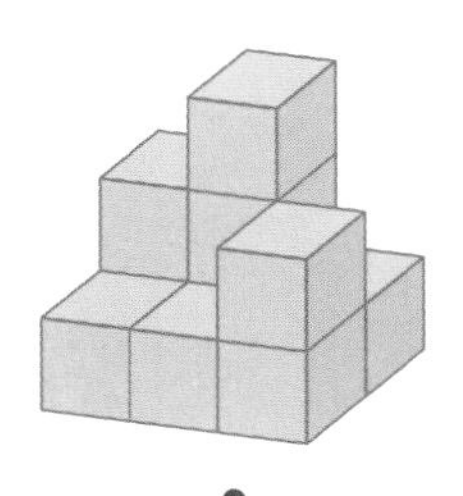

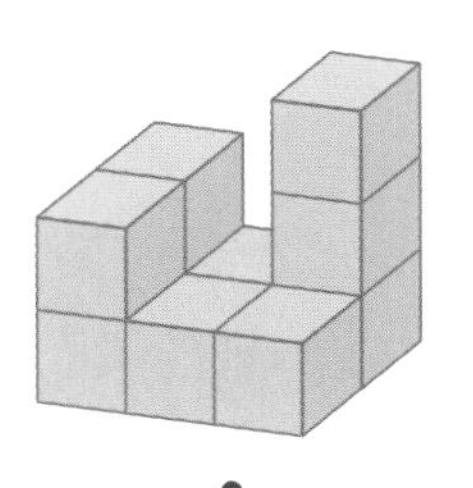

2	3	1
1	1	2

2	1	1
3	1	2

2	1	3
2	1	1

2	1	2
3	1	1

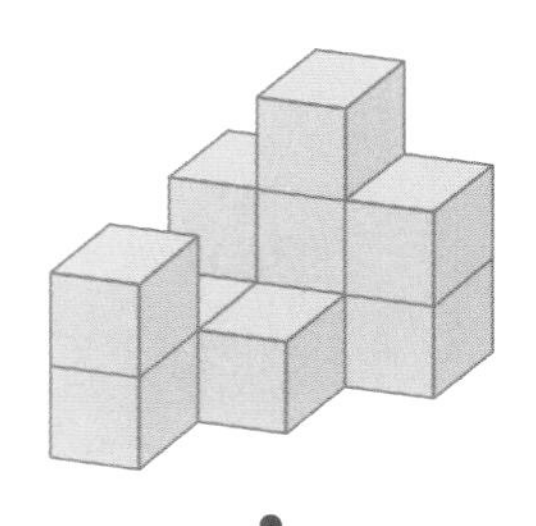

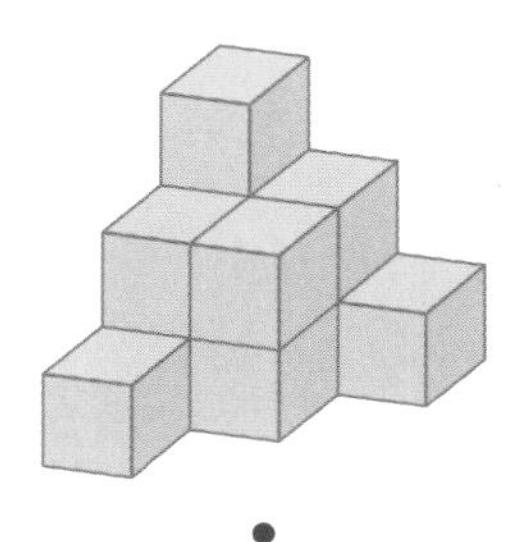

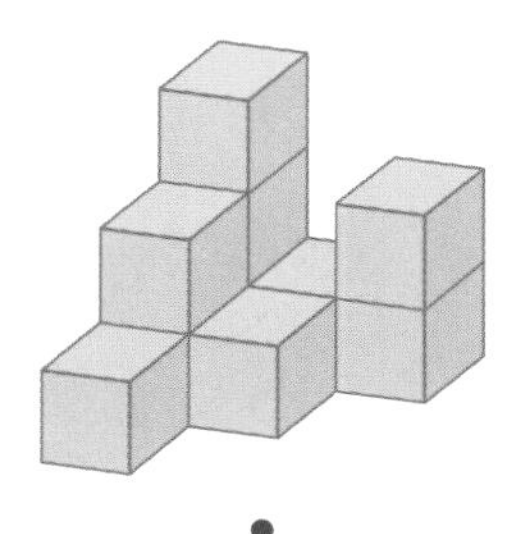

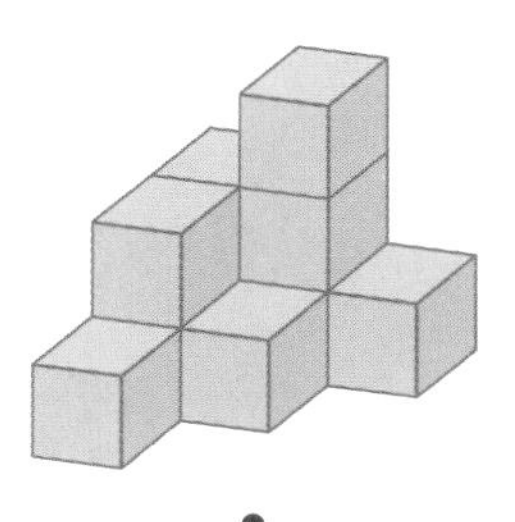

3	1	2
2	1	
1		

2	3	2
1	1	
2		

3	2	1
2	2	
1		

2	3	1
2	1	
1		

쌓기나무로 쌓은 모양을 보고 위에서 본 모양의 각 자리에 쌓기나무의 수를 써 보세요.

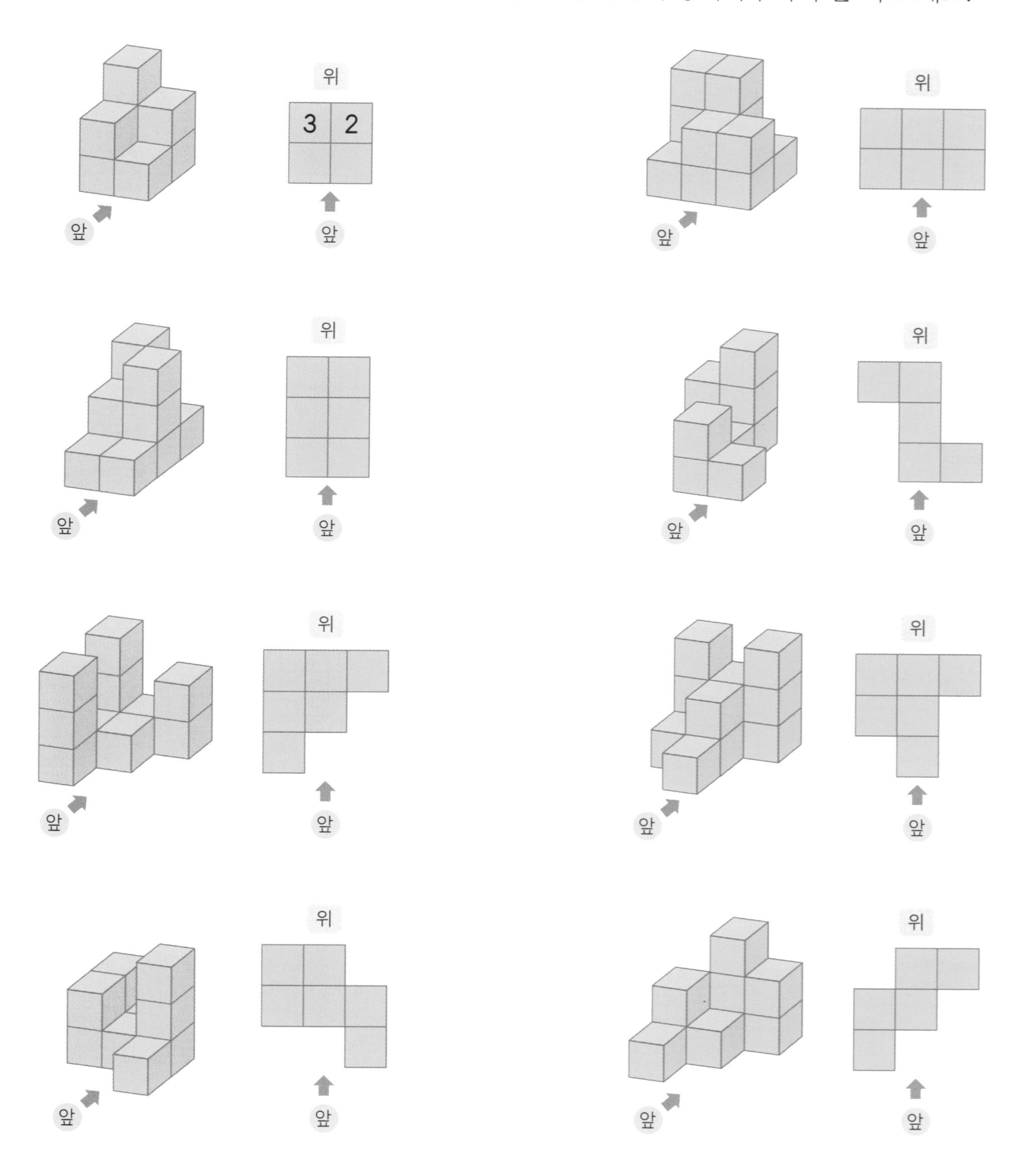

28일 쌓기나무의 개수

1 쌓기나무로 쌓은 모양과 위에서 본 모양입니다. 위에서 본 모양의 각 자리에 쌓기나무의 수를 쓰고, 모양을 쌓는 데 사용한 쌓기나무의 개수를 구해 보세요.

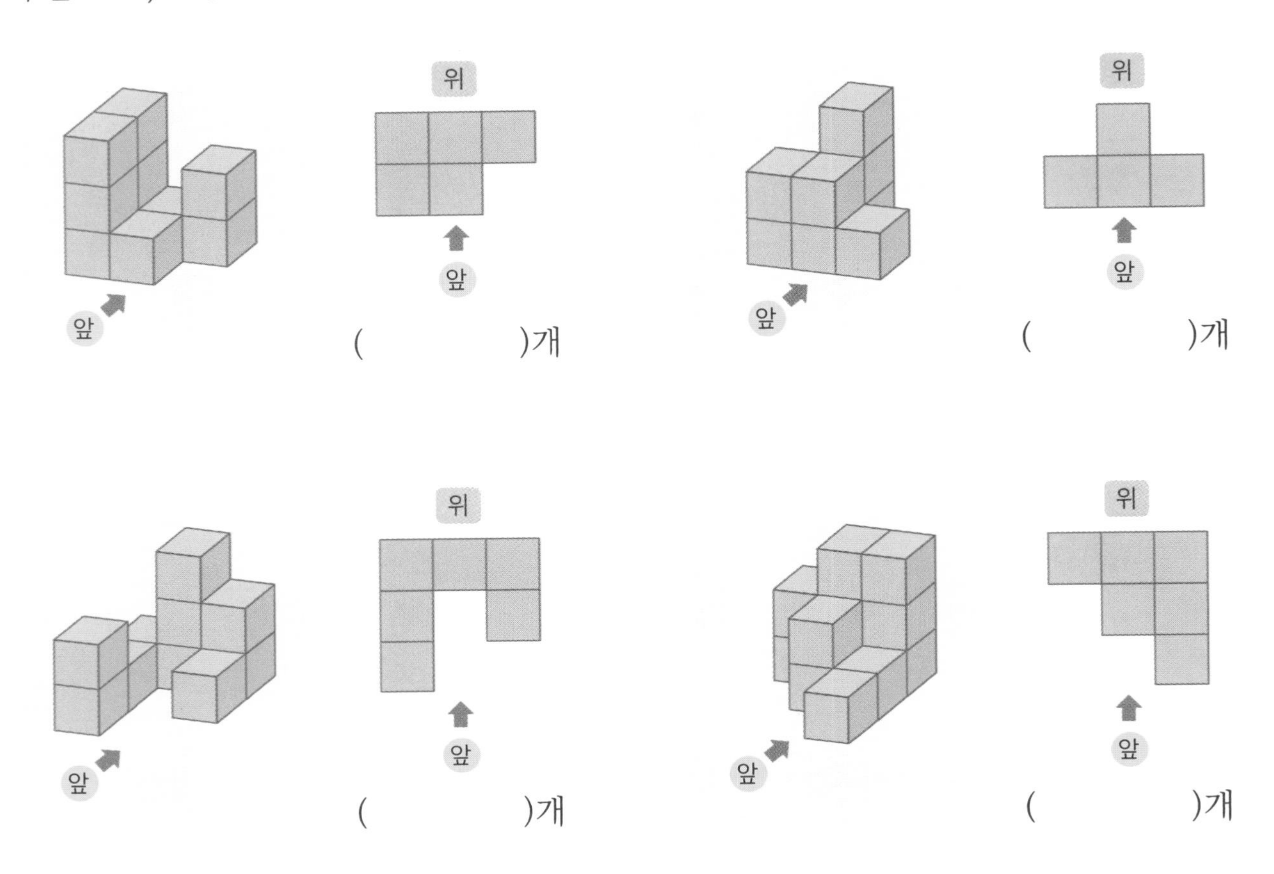

쌓기나무의 개수

위에서 본 모양의 각 자리에 쌓기나무가 몇 개 쌓여 있는지 수를 쓰는 방법으로 쌓기나무의 개수를 구할 수 있습니다.

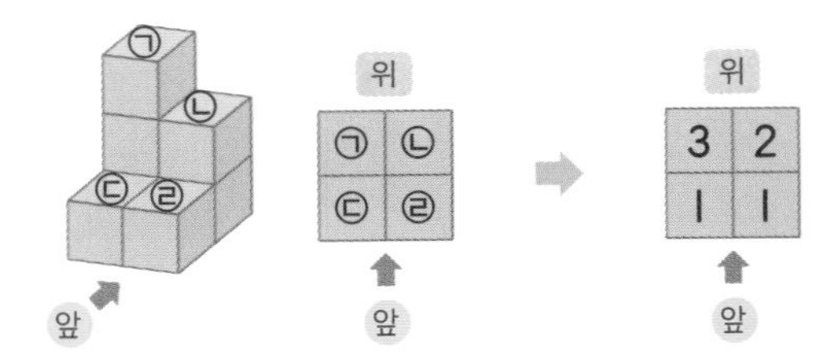

$3+2+1+1=7$(개)

모양을 쌓는 데 필요한 쌓기나무는 7개입니다.

11 쌓기나무로 쌓은 모양과 위에서 본 모양입니다. 모양을 쌓는 데 사용한 쌓기나무의 개수를 구해 보세요.

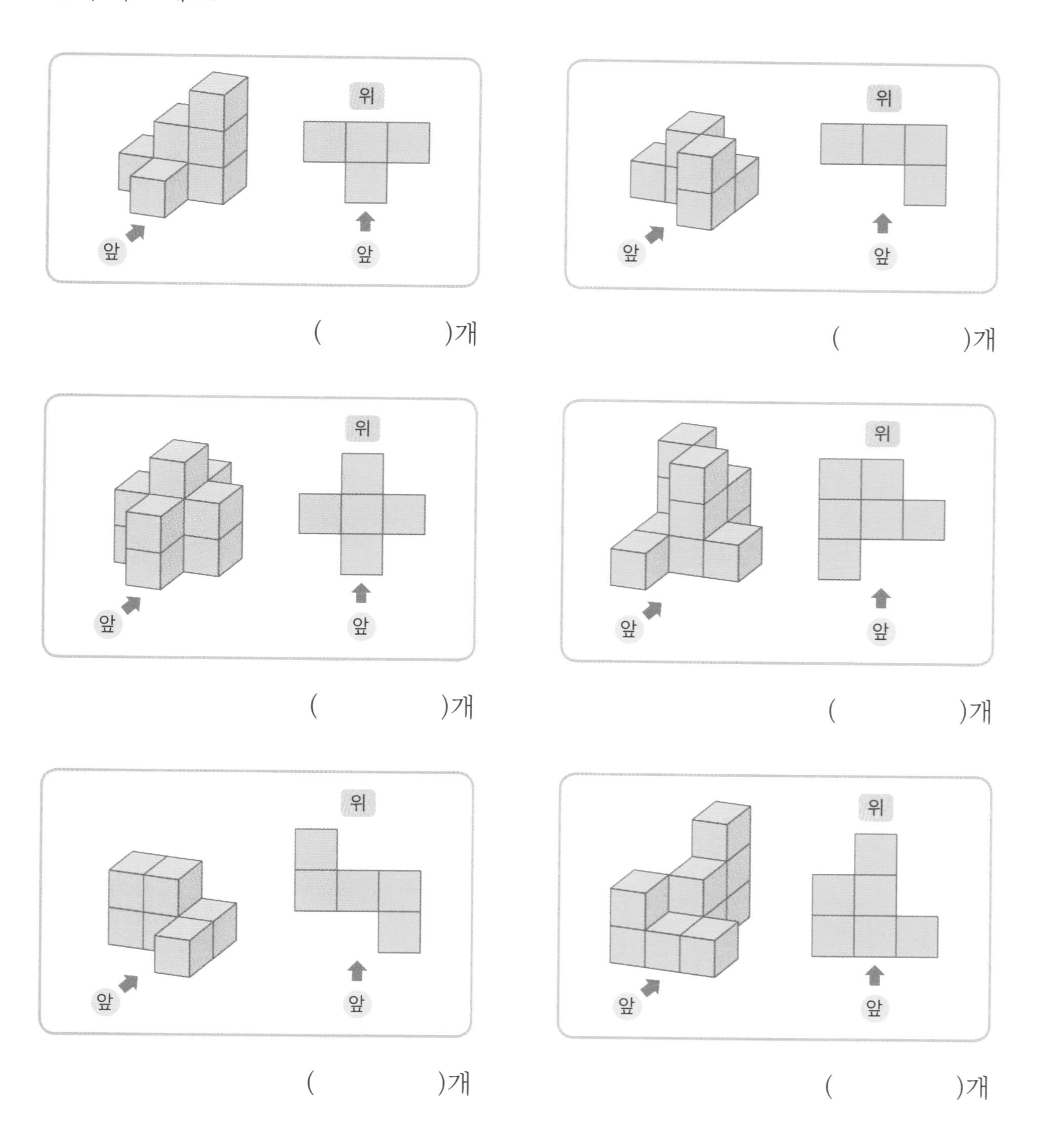

29일 앞, 옆 모양 그리기

쌓기나무로 쌓은 모양을 보고 위에서 본 모양의 각 자리에 쌓기나무의 수를 썼습니다. 앞과 옆에서 본 모양을 그려 보세요.

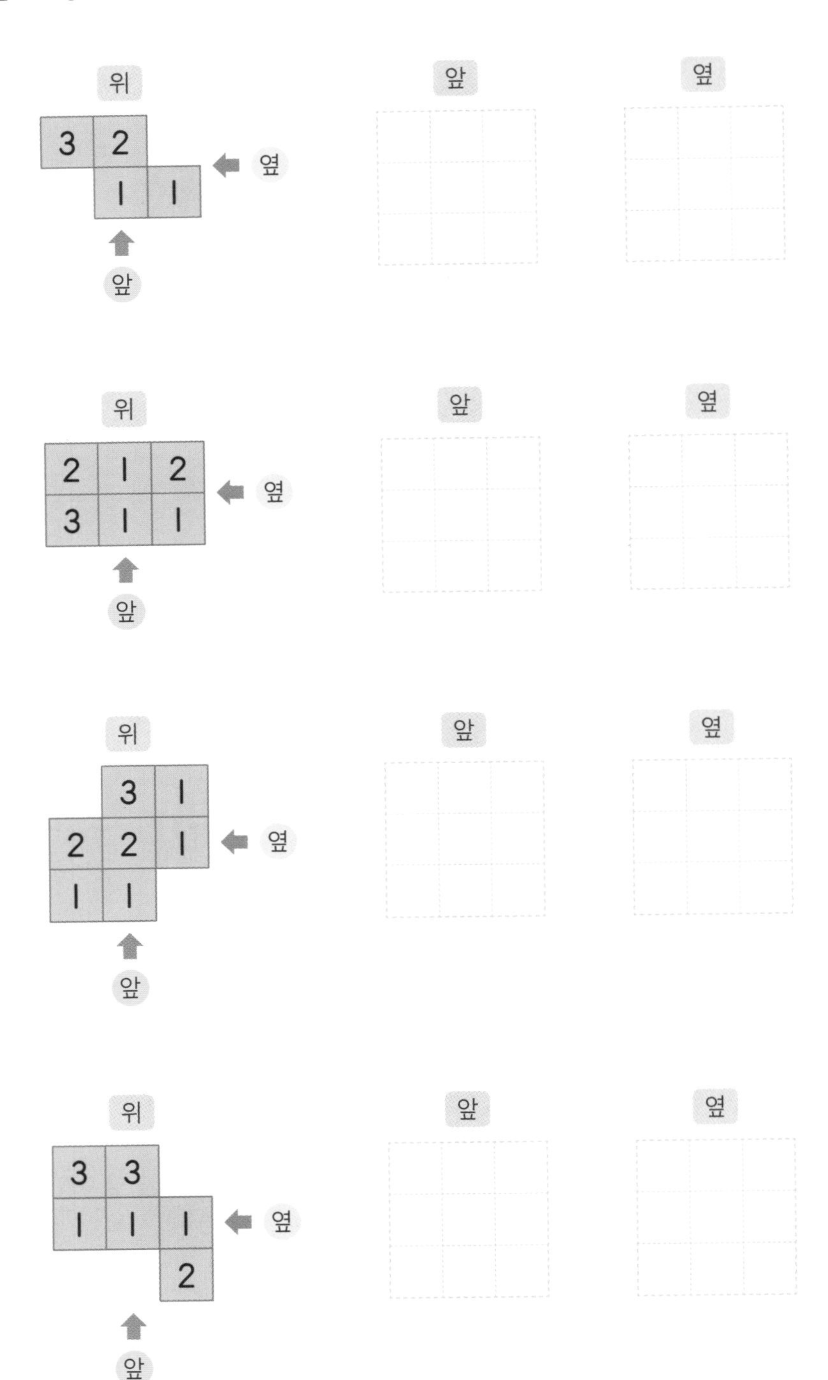

쌓기나무로 쌓은 모양을 보고 위에서 본 모양의 각 자리에 쌓기나무의 수를 썼습니다. 앞 또는 옆에서 본 모양이 다른 것 하나에 ◯표 하세요.

앞에서 본 모양이 다른 것

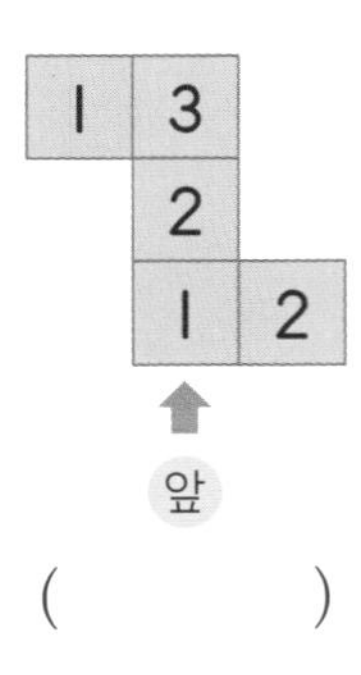

( )

1	3	2
2		2
		1

앞

( )

1	2	2
1	3	
1		

앞

( )

앞에서 본 모양이 다른 것

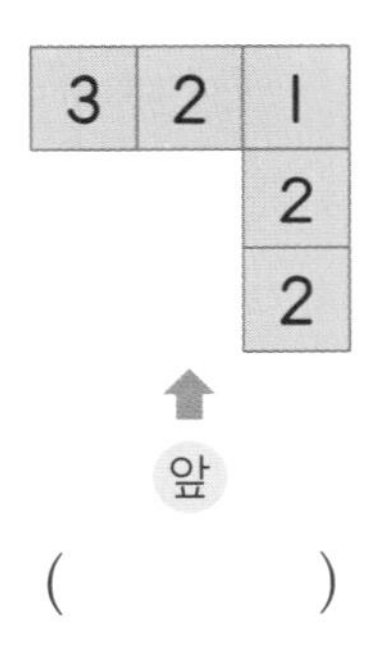

( )

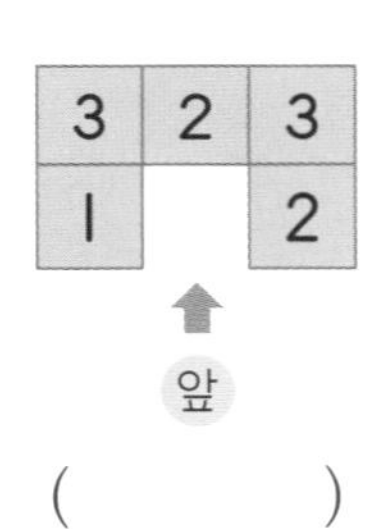

( )

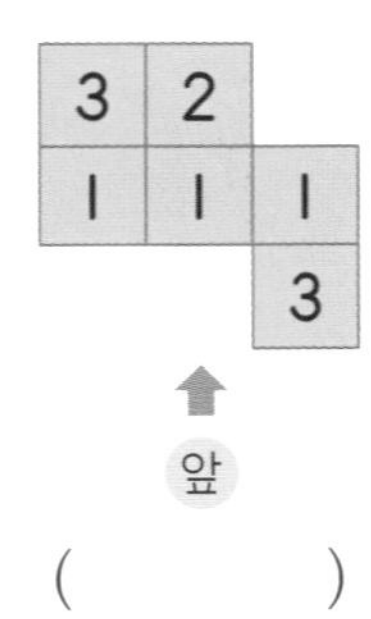

( )

옆에서 본 모양이 다른 것

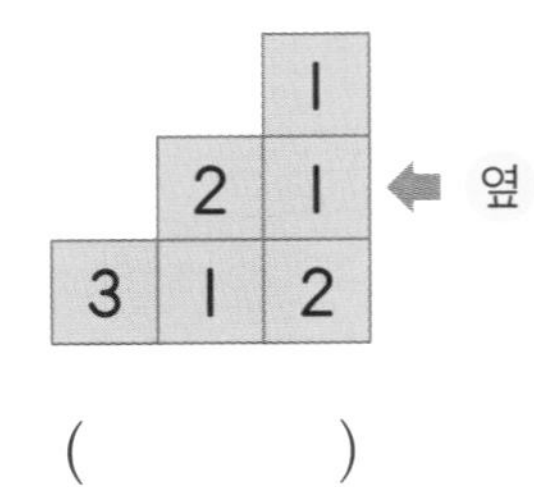

( )

2	1	
	1	
2	2	3

옆

( )

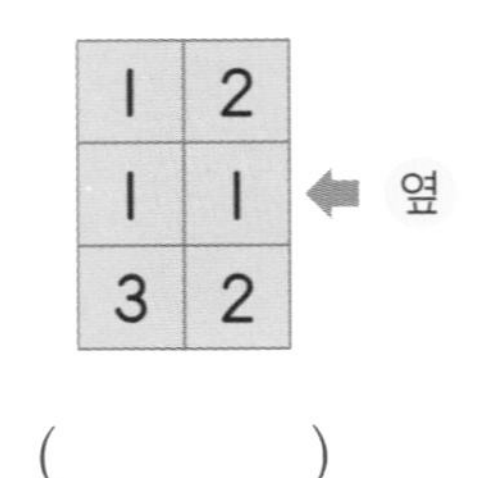

( )

옆에서 본 모양이 다른 것

	3	1
2	1	1
1	2	

옆

( )

3	2	1
	1	1
	2	

옆

( )

		3
1	2	2
2	1	1

옆

( )

30일 숨겨진 쌓기나무

1 쌓기나무를 왼쪽과 같이 쌓았습니다. 쌓은 모양을 돌렸을 때 나올 수 있는 모양에 모두 ◯표 하세요.

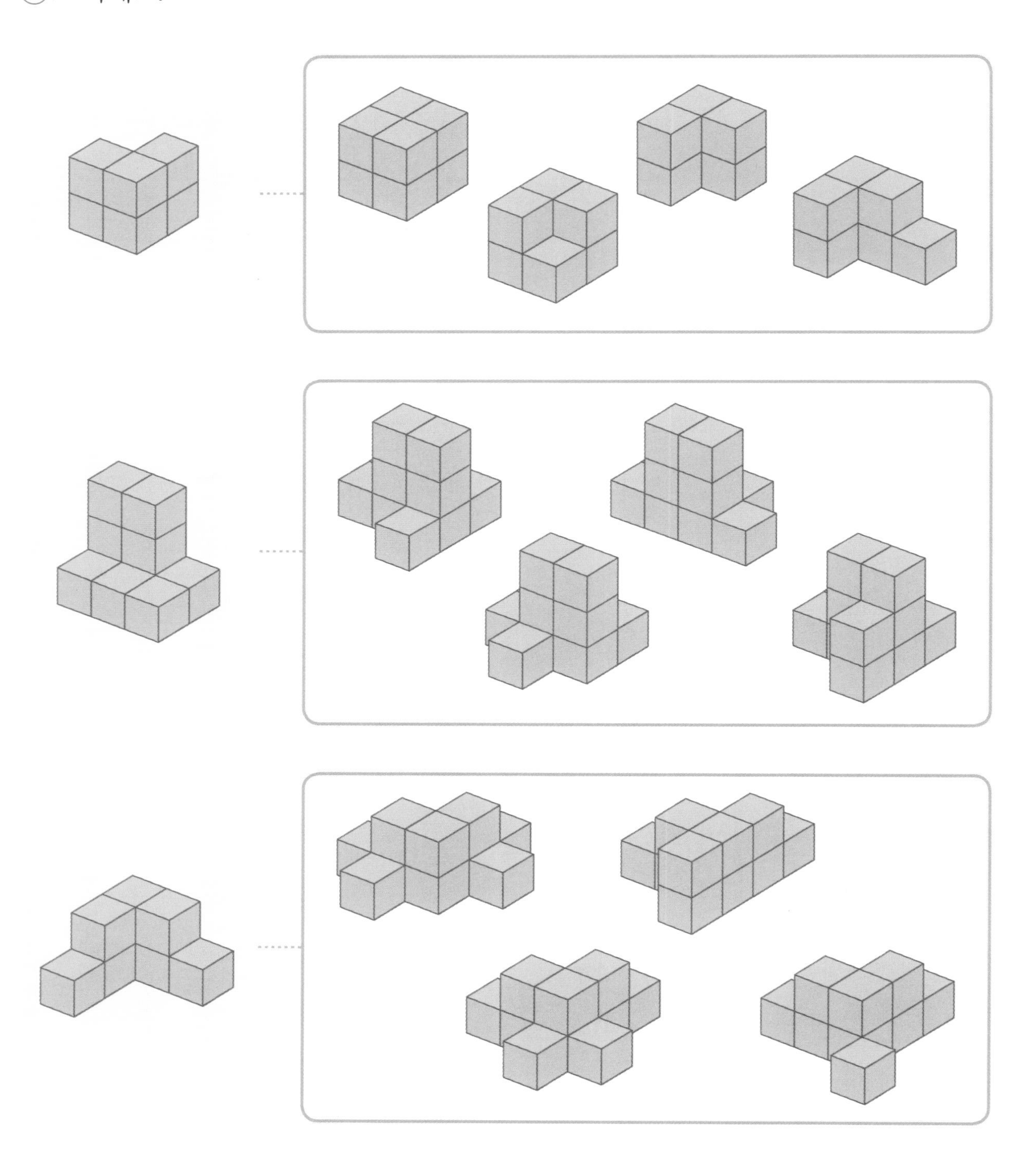

11 쌓기나무로 쌓은 모양을 보고 위에서 본 모양이 될 수 있는 것에 모두 ◯표 하세요.

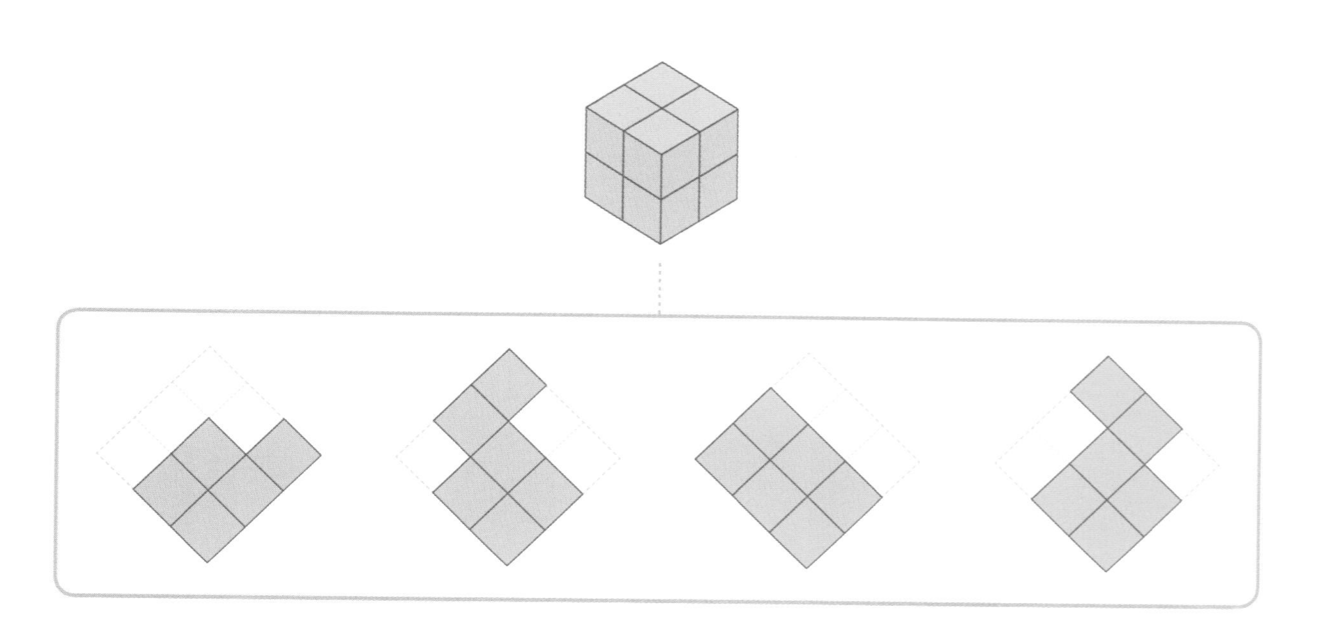

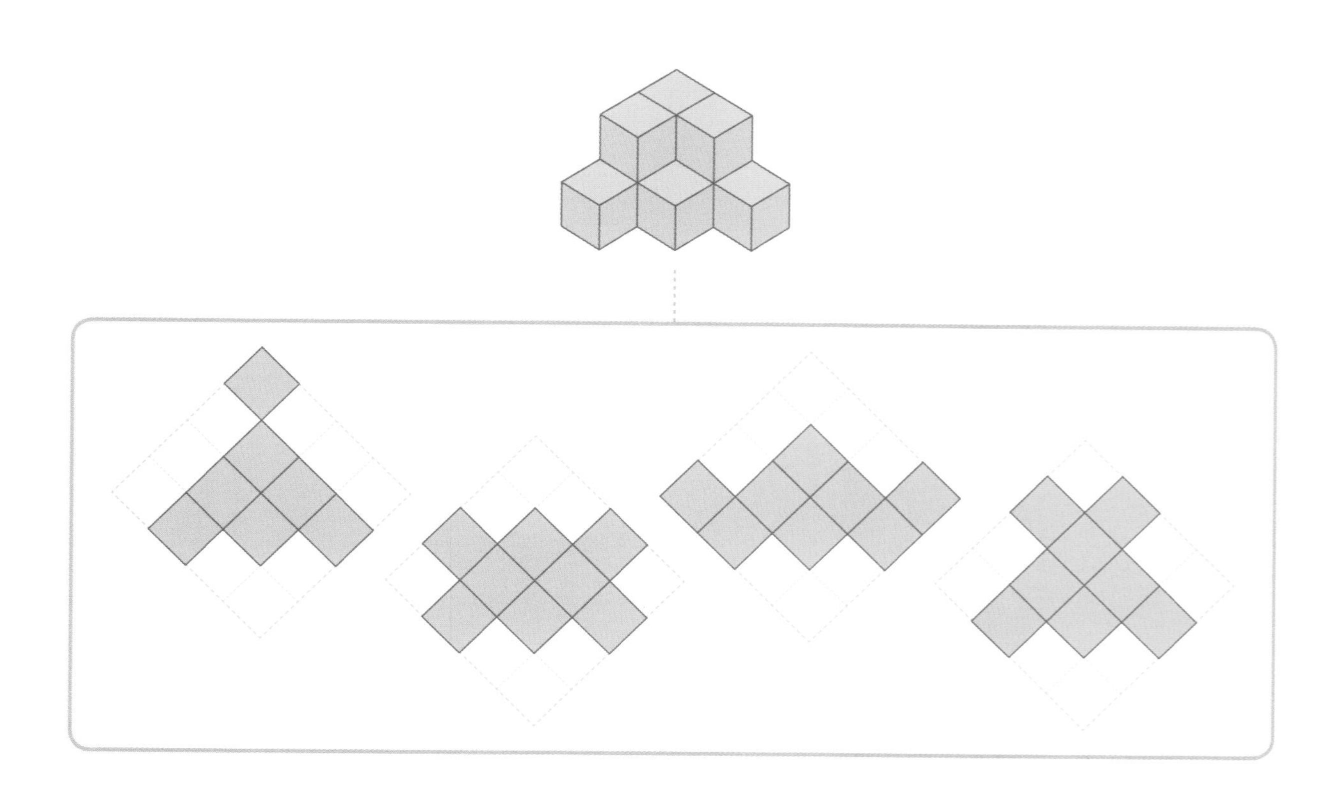

물음에 답하세요.

쌓기나무 7개로 쌓은 모양입니다. 위에서 본 모양을 그려 보세요.

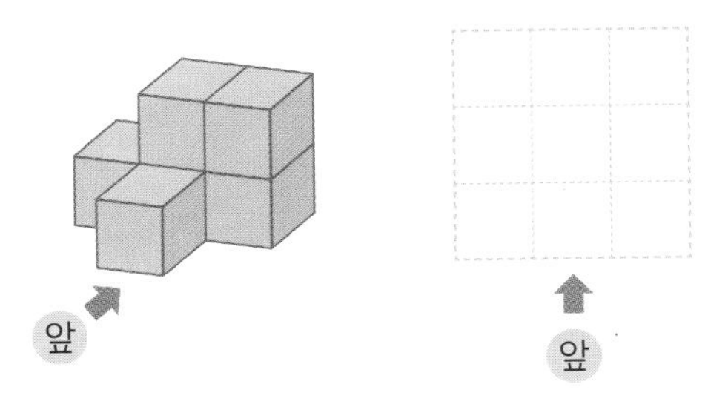

주어진 모양과 똑같이 쌓는 데 필요한 쌓기나무는 적어도 몇 개일까요?

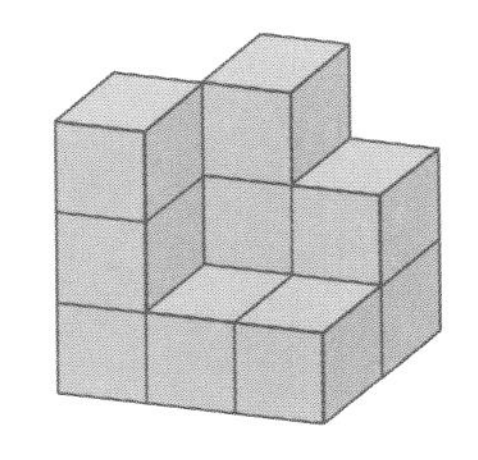

위에서 본 모양

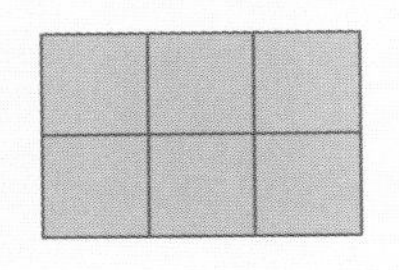

(　　　　　　)개

주어진 모양과 똑같이 쌓는 데 쌓기나무를 최대 몇 개까지 사용할 수 있을까요?

위에서 본 모양

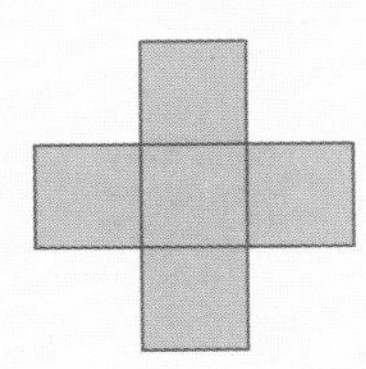

(　　　　　　)개

3주차
31~35일

위, 앞, 옆 모양

31일 쌓은 모양 찾기

1 쌓기나무로 쌓은 모양을 위, 앞, 옆에서 본 모양입니다. 쌓은 모양을 찾아 ◯표 하세요.

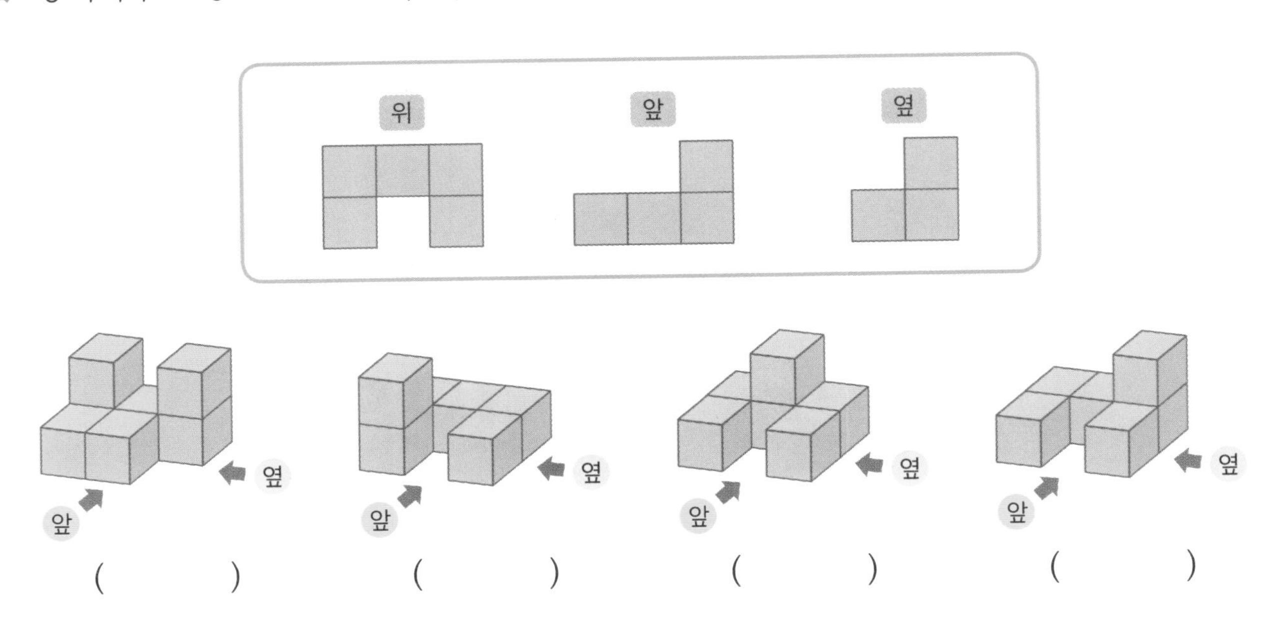

( ) ( ) ( ) ( )

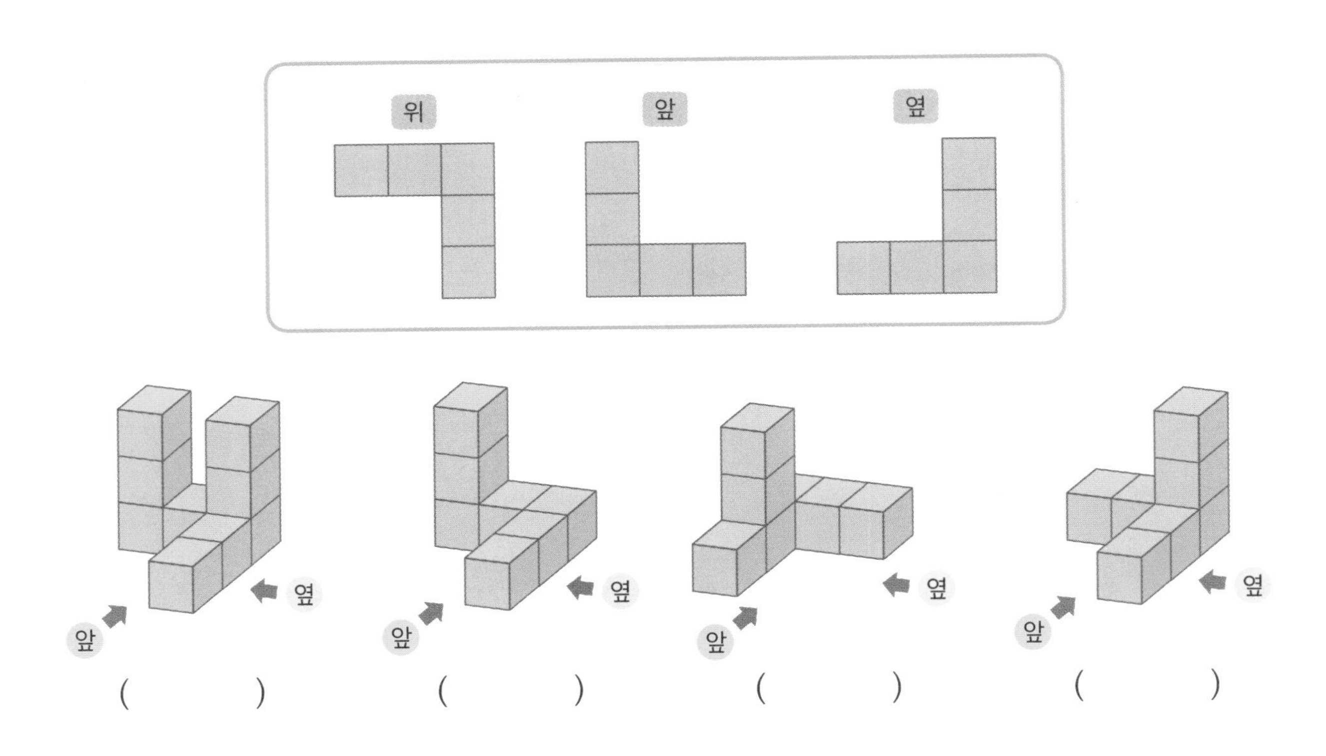

( ) ( ) ( ) ( )

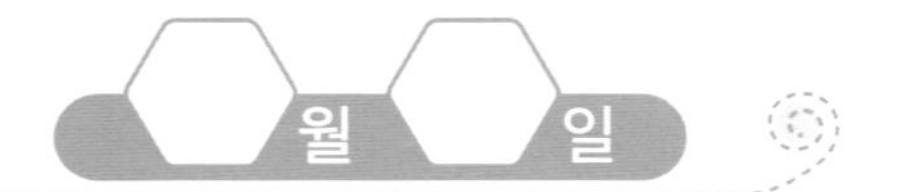

쌓기나무로 쌓은 모양을 위, 앞, 옆에서 본 모양입니다. 쌓은 모양으로 가능한 것을 찾아 모두 ◯표 하세요.

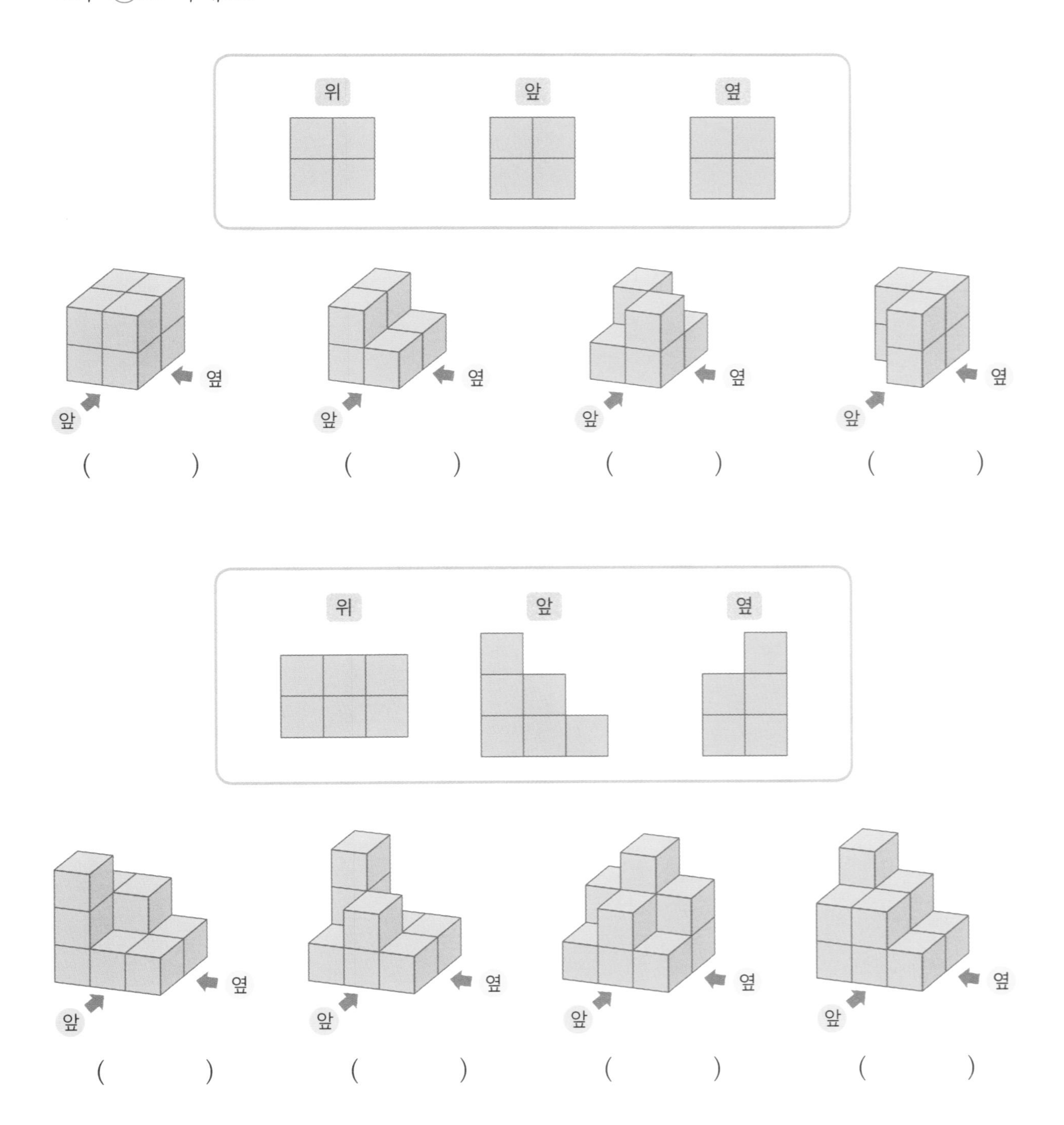

32일 상자에 넣기

1 쌓기나무를 붙여서 만든 모양을 상자의 구멍으로 넣으려고 합니다. 쌓기나무를 넣을 수 있는 상자를 찾아 이어 보세요.

위, 앞, 옆에서 본 모양을 살펴봅니다.

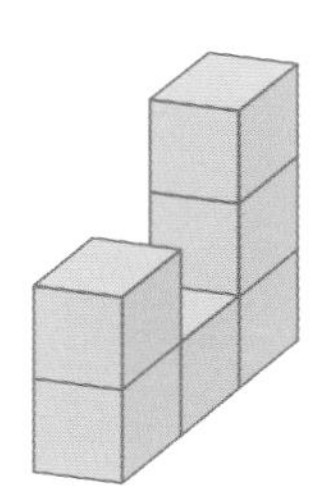

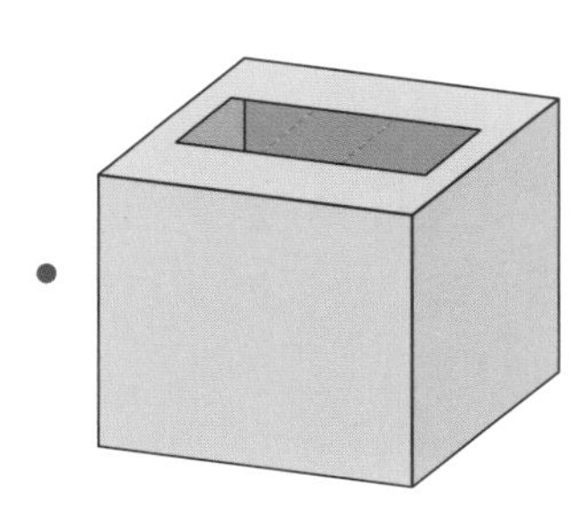

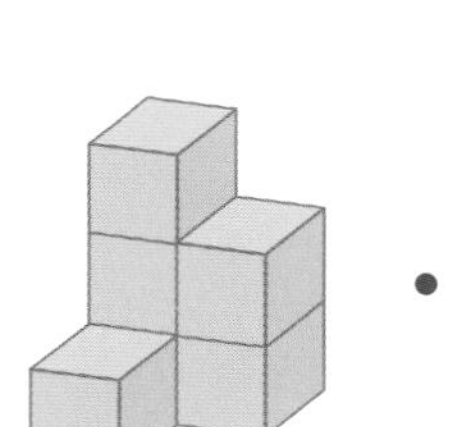

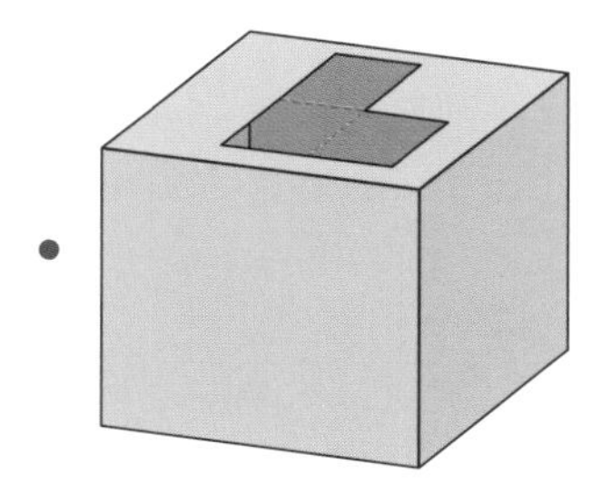

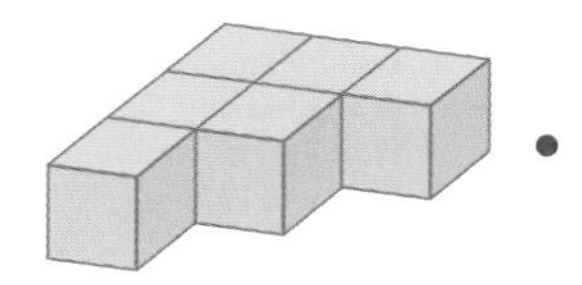

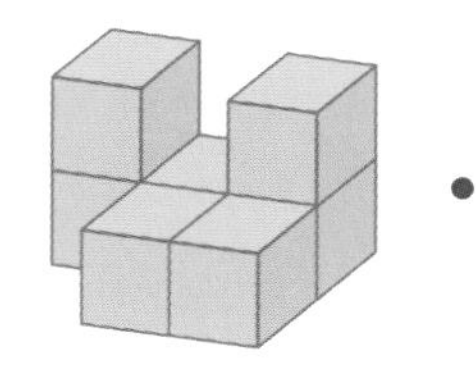

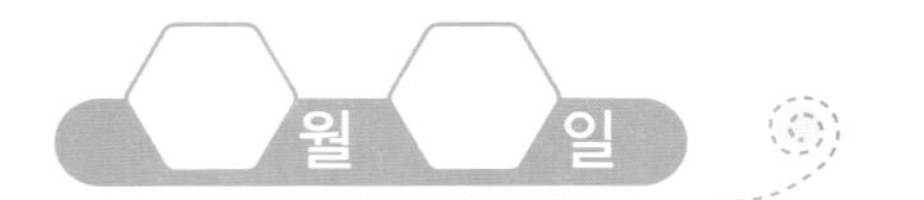

구멍이 있는 상자 가, 나, 다가 있습니다. 쌓기나무를 붙여서 만든 모양을 넣을 수 있는 상자를 모두 찾아 기호를 써 보세요.

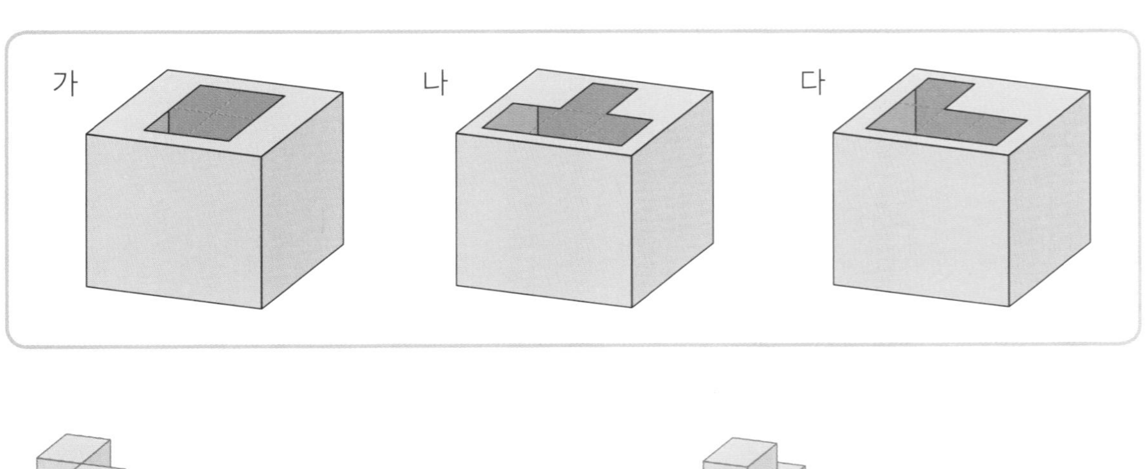

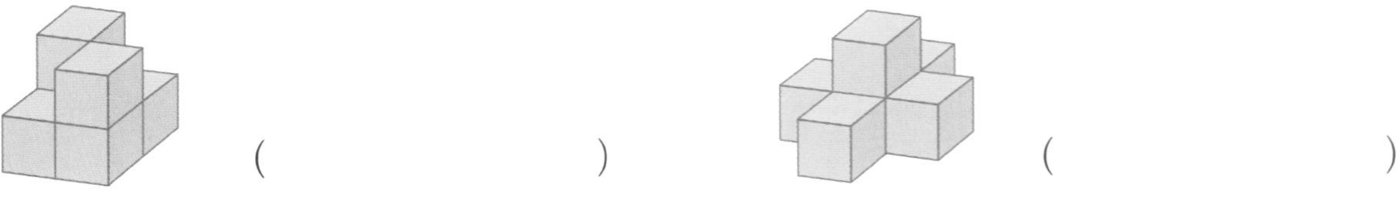

( ) ( )

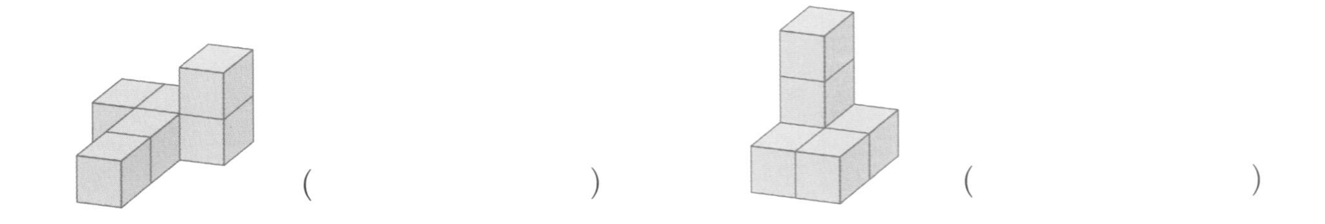

( ) ( )

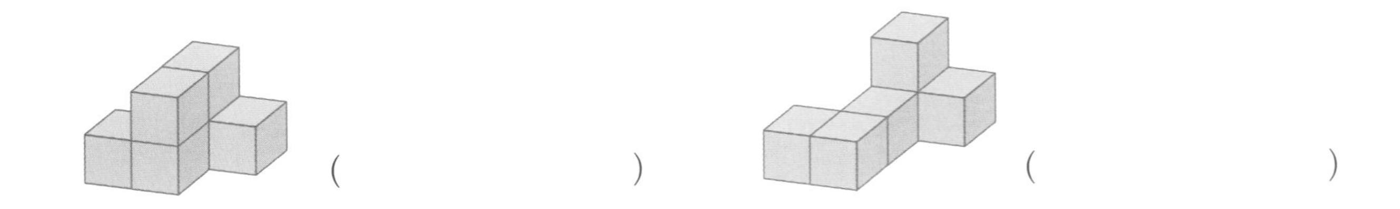

( ) ( )

33일 쌓기나무의 개수

1 쌓기나무로 쌓은 모양을 위, 앞, 옆에서 본 모양입니다. 위에서 본 모양의 각 자리에 쌓기나무의 수를 쓰고, 모양을 쌓는 데 사용한 쌓기나무의 개수를 구해 보세요.

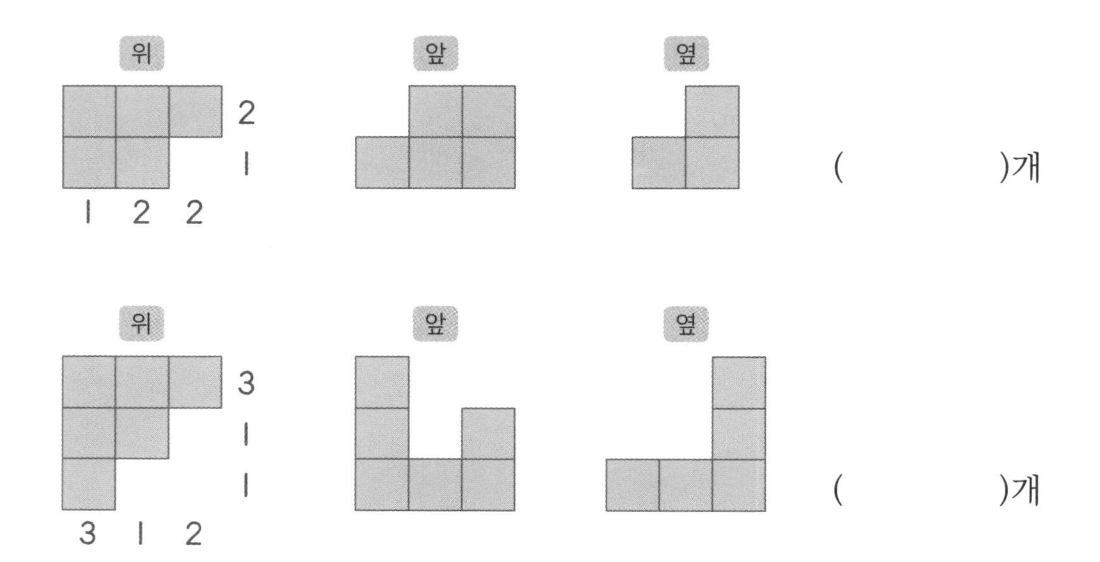

쌓기나무의 개수

위, 앞, 옆 모양이 주어졌을 때 위에서 본 모양의 각 자리에 쌓기나무의 수를 쓰는 방법으로 쌓은 모양의 개수를 구할 수 있습니다.

위 앞 옆

다른 조건이 없을 때 옆은 오른쪽 옆을 말합니다.

위에서 본 모양의 아래쪽에 앞에서 본 모양의 층 수, 오른쪽에 옆에서 본 모양의 층 수를 씁니다.

→ 최고 층 수가 1층이면 그 줄에는 1개씩만 쌓여 있습니다.

→ 오른쪽 칸은 세로로 한 칸만 있으므로 앞에서 본 모양대로 2개 쌓여 있습니다.

→ 남은 칸을 채워 쌓기나무의 수를 구합니다.

$2+1+3+1+2$
$=9$(개)

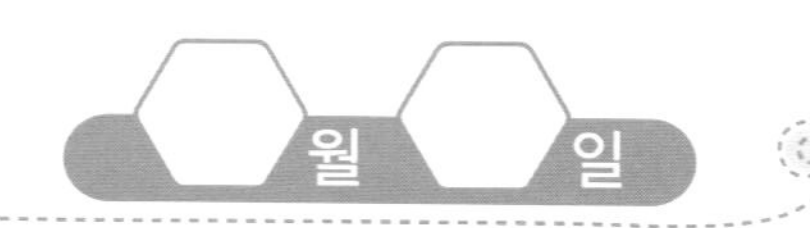

11 쌓기나무로 쌓은 모양을 위, 앞, 옆에서 본 모양입니다. 모양을 쌓는 데 사용한 쌓기나무의 개수를 구해 보세요.

위 앞 옆

(　　　　　)개

위 앞 옆

(　　　　　)개

위 앞 옆

(　　　　　)개

위 앞 옆

(　　　　　)개

위 앞 옆

(　　　　　)개

34일 앞과 옆 모양

주어진 쌓기나무로 쌓은 모양을 위와 앞에서 보았습니다. 옆에서 본 모양을 그려 보세요.

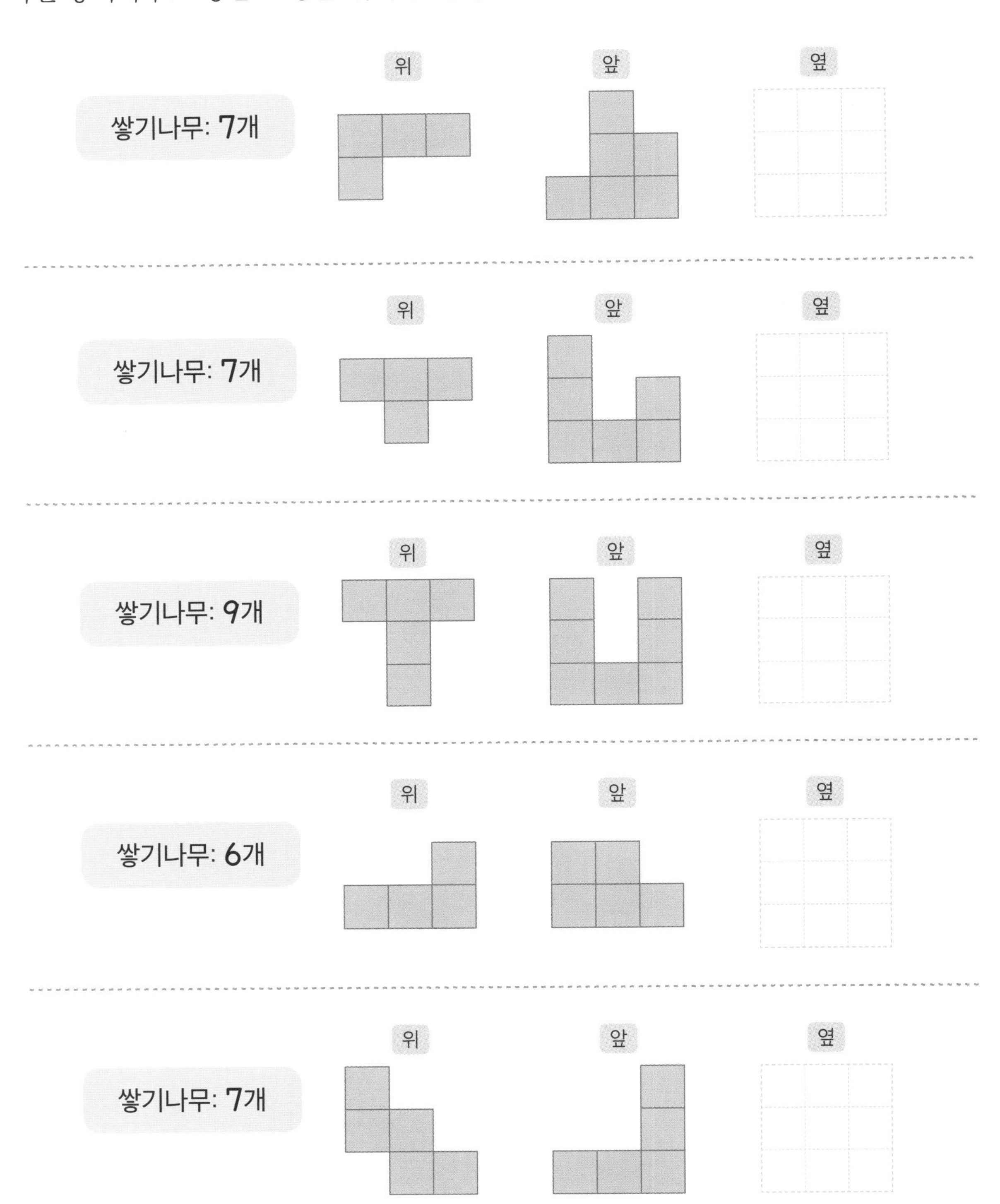

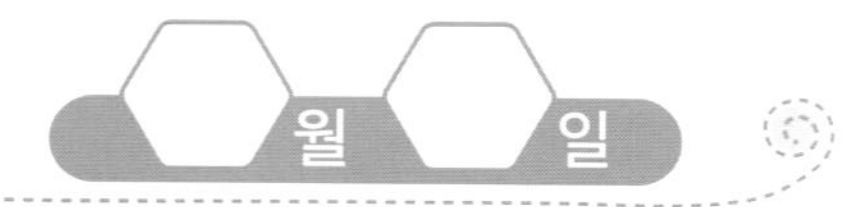

11 쌓기나무로 쌓은 모양을 위, 앞, 옆에서 보고 그렸습니다. 위, 앞, 옆 모양을 찾아 기호를 쓰고, 모양을 쌓는 데 사용한 쌓기나무의 개수를 구해 보세요.

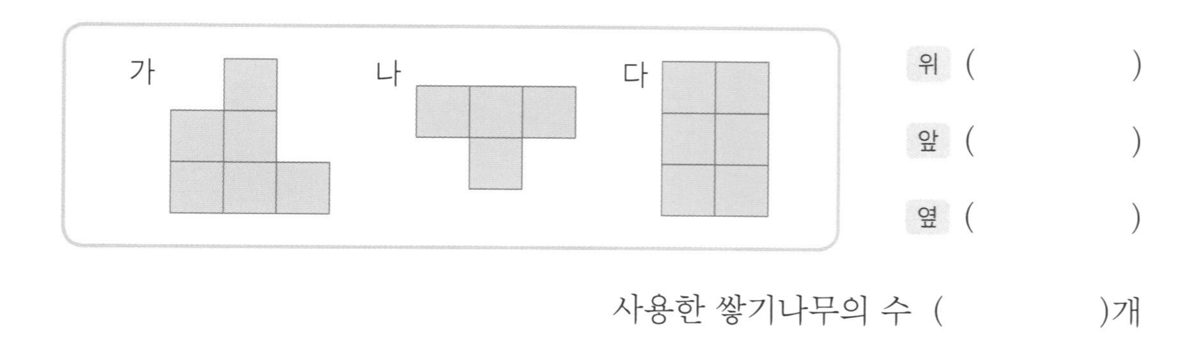

위 (　　　　)
앞 (　　　　)
옆 (　　　　)

사용한 쌓기나무의 수 (　　　　)개

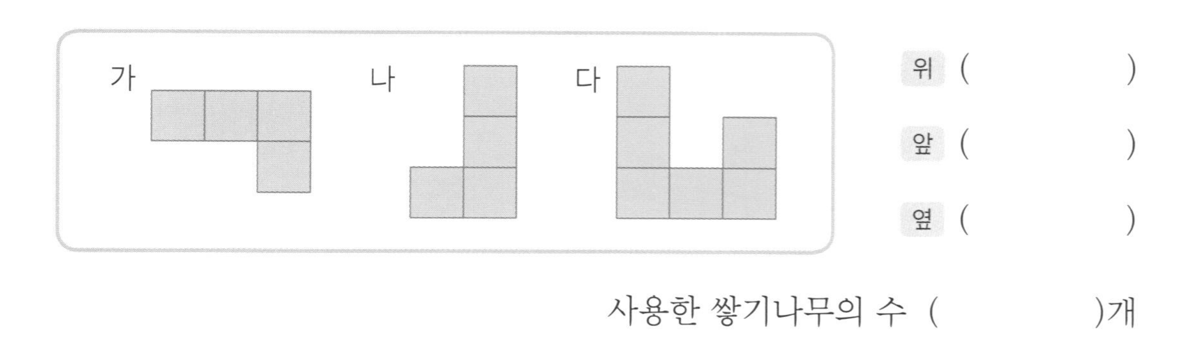

위 (　　　　)
앞 (　　　　)
옆 (　　　　)

사용한 쌓기나무의 수 (　　　　)개

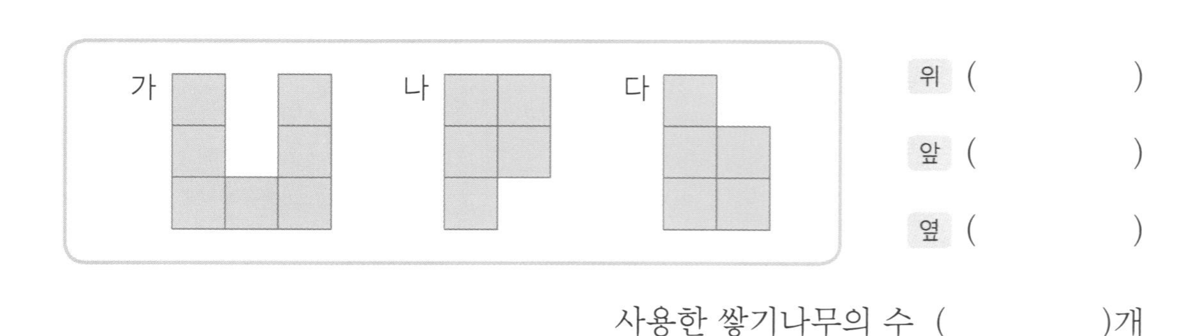

위 (　　　　)
앞 (　　　　)
옆 (　　　　)

사용한 쌓기나무의 수 (　　　　)개

여러 가지 쌓은 모양

1 위, 앞, 옆에서 본 모양대로 쌓기나무를 쌓으려고 합니다. 쌓을 수 있는 모양이 한 가지가 아닌 것에 모두 ○표 하세요.

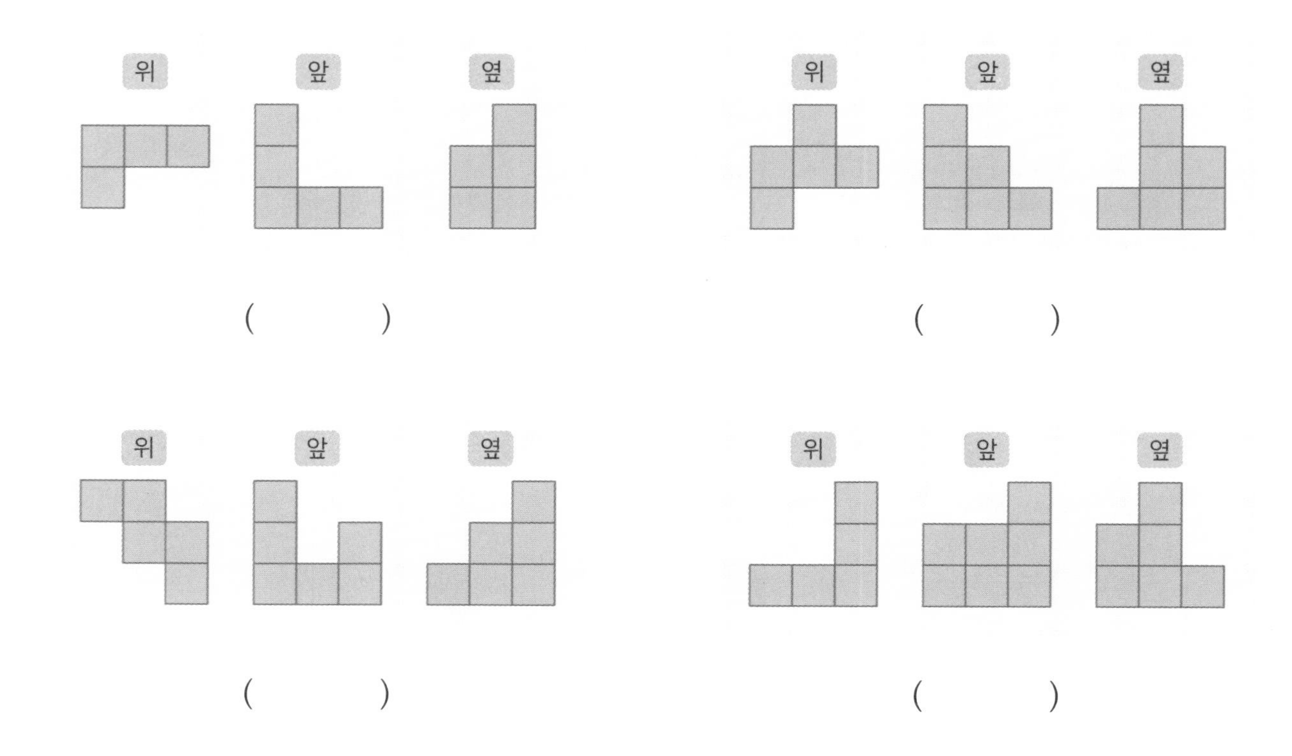

여러 가지 쌓은 모양

위, 앞, 옆 모양만 주어졌을 때 쌓을 수 있는 모양이 여러 가지인 경우가 있습니다.

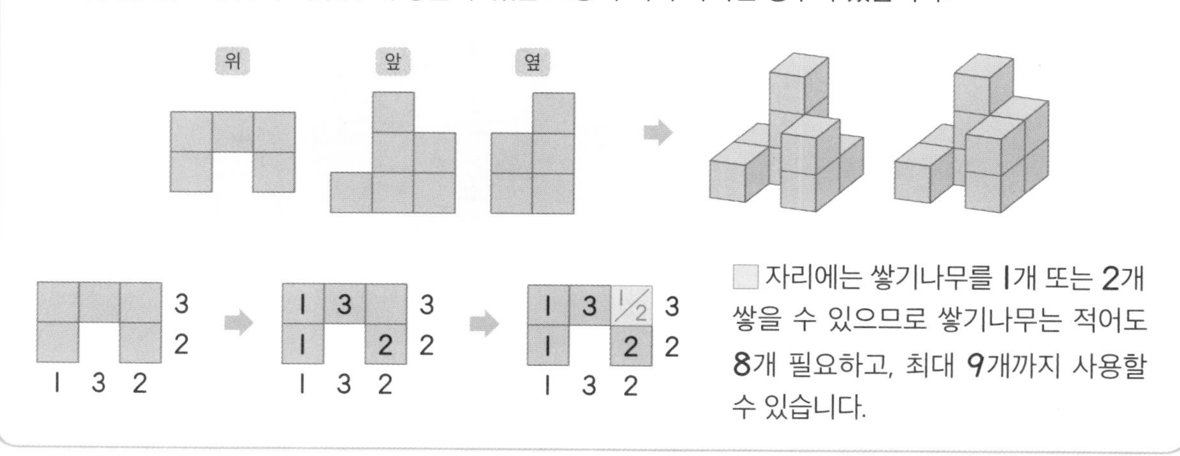

▢ 자리에는 쌓기나무를 1개 또는 2개 쌓을 수 있으므로 쌓기나무는 적어도 8개 필요하고, 최대 9개까지 사용할 수 있습니다.

물음에 답하세요.

위, 앞, 옆에서 본 모양대로 쌓기나무를 쌓으려고 합니다. 위에서 본 모양의 ★ 자리에는 쌓기나무를 몇 개까지 쌓을 수 있을까요?

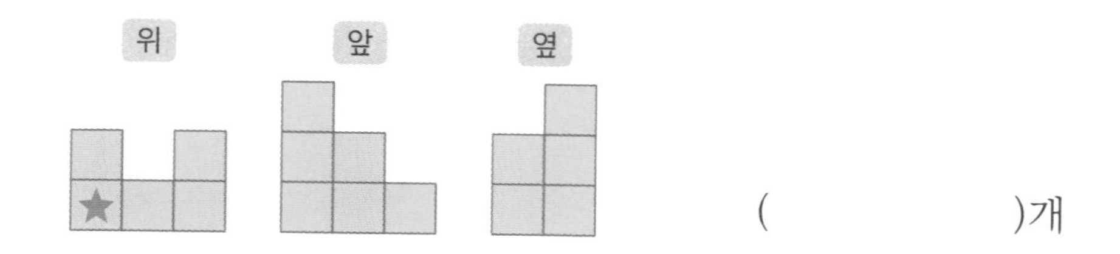

( )개

위, 앞, 옆에서 본 모양대로 쌓기나무를 쌓으려고 합니다. 똑같은 모양으로 쌓으려면 쌓기나무는 적어도 몇 개 필요할까요?

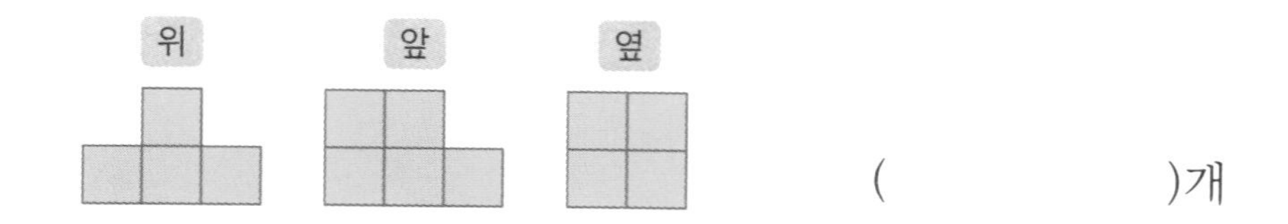

( )개

위, 앞, 옆에서 본 모양대로 쌓기나무를 쌓으려고 합니다. 똑같은 모양으로 쌓으려면 쌓기나무는 최대 몇 개까지 사용할 수 있을까요?

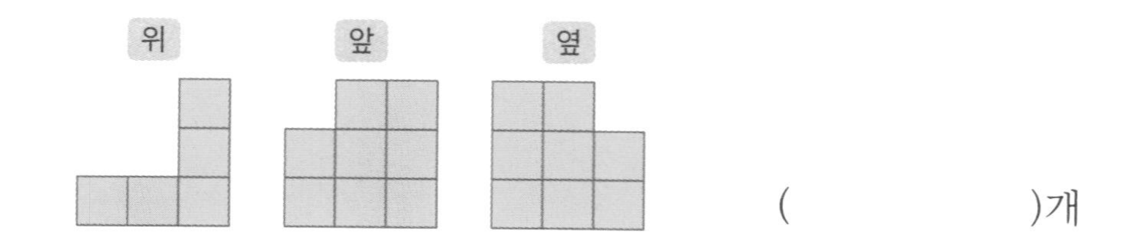

( )개

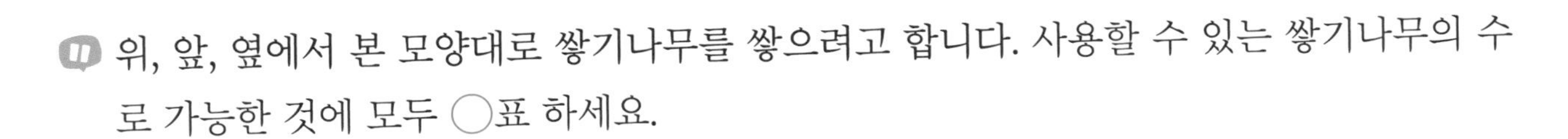

위, 앞, 옆에서 본 모양대로 쌓기나무를 쌓으려고 합니다. 사용할 수 있는 쌓기나무의 수로 가능한 것에 모두 ◯표 하세요.

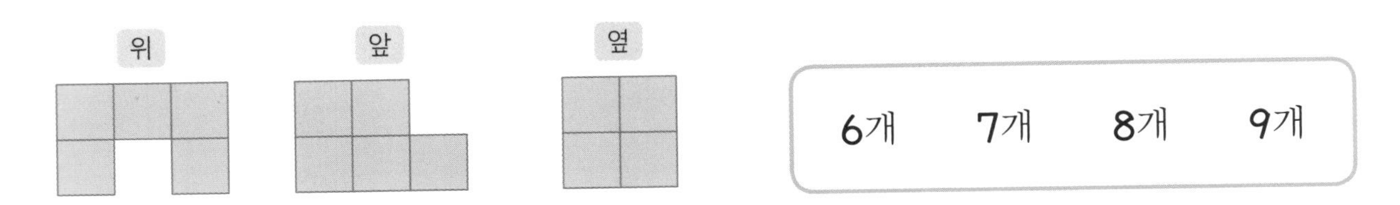

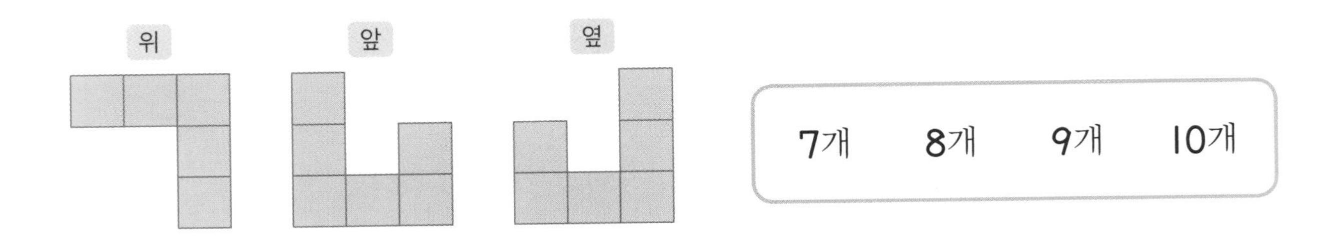

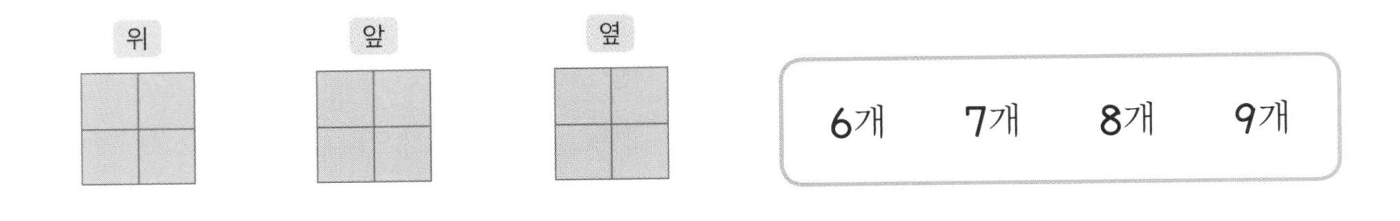

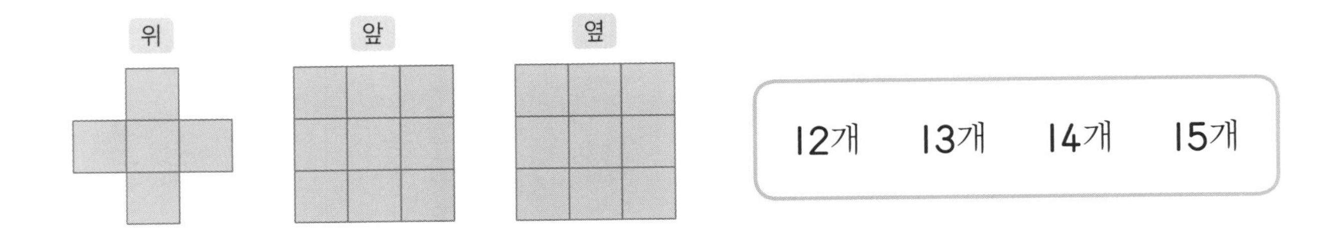

4주차
36~40일

층별로 나타낸 모양

36일 층별 모양 그리기

쌓기나무로 쌓은 모양을 보고 1층, 2층, 3층 모양을 각각 그려 보세요.

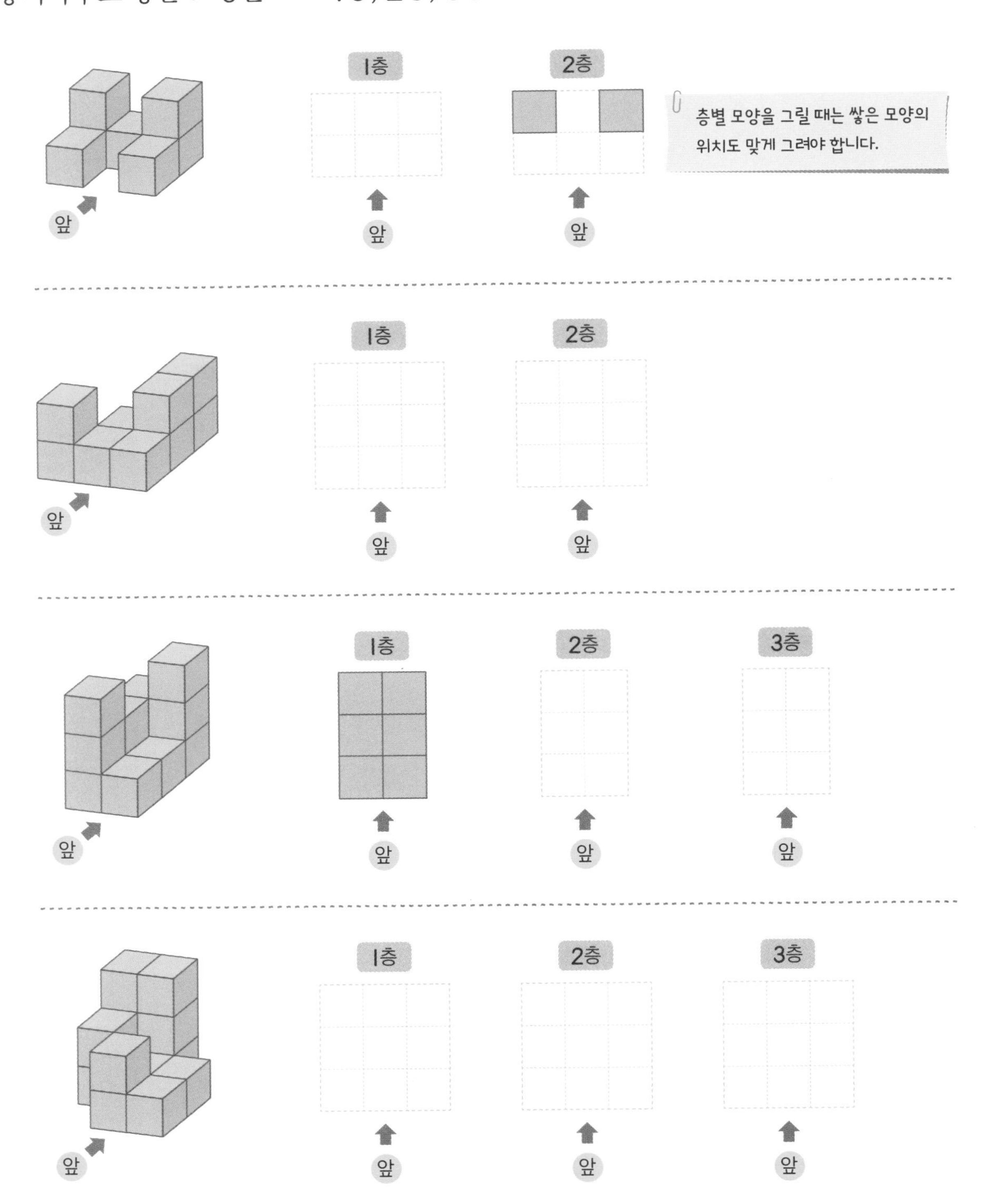

앞
1층
2층
층별 모양을 그릴 때는 쌓은 모양의 위치도 맞게 그려야 합니다.
3층

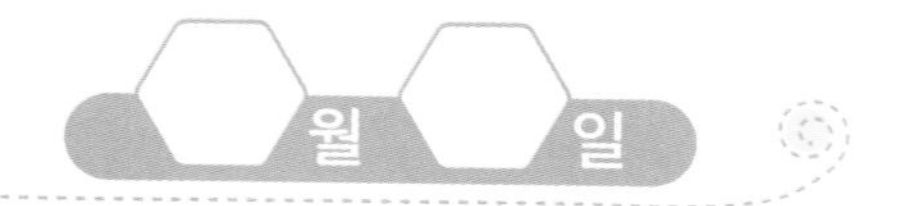

왼쪽은 쌓기나무로 쌓은 모양의 1층 모양입니다. 2층 모양이 될 수 없는 것의 기호를 써 보세요.

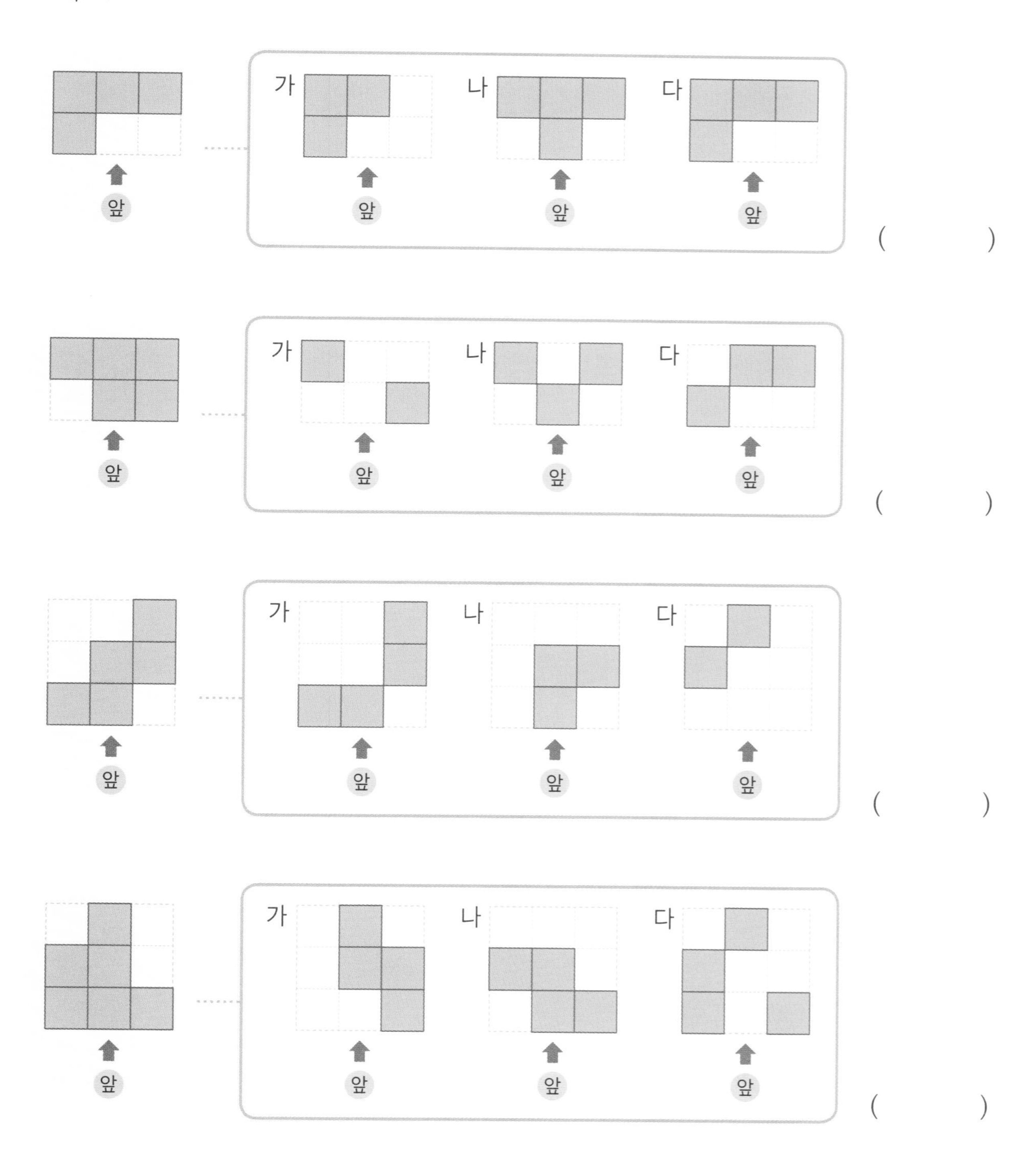

쌓은 모양 찾기

쌓기나무로 쌓은 모양을 층별로 나타낸 것입니다. 쌓은 모양에 ◯표 하세요.

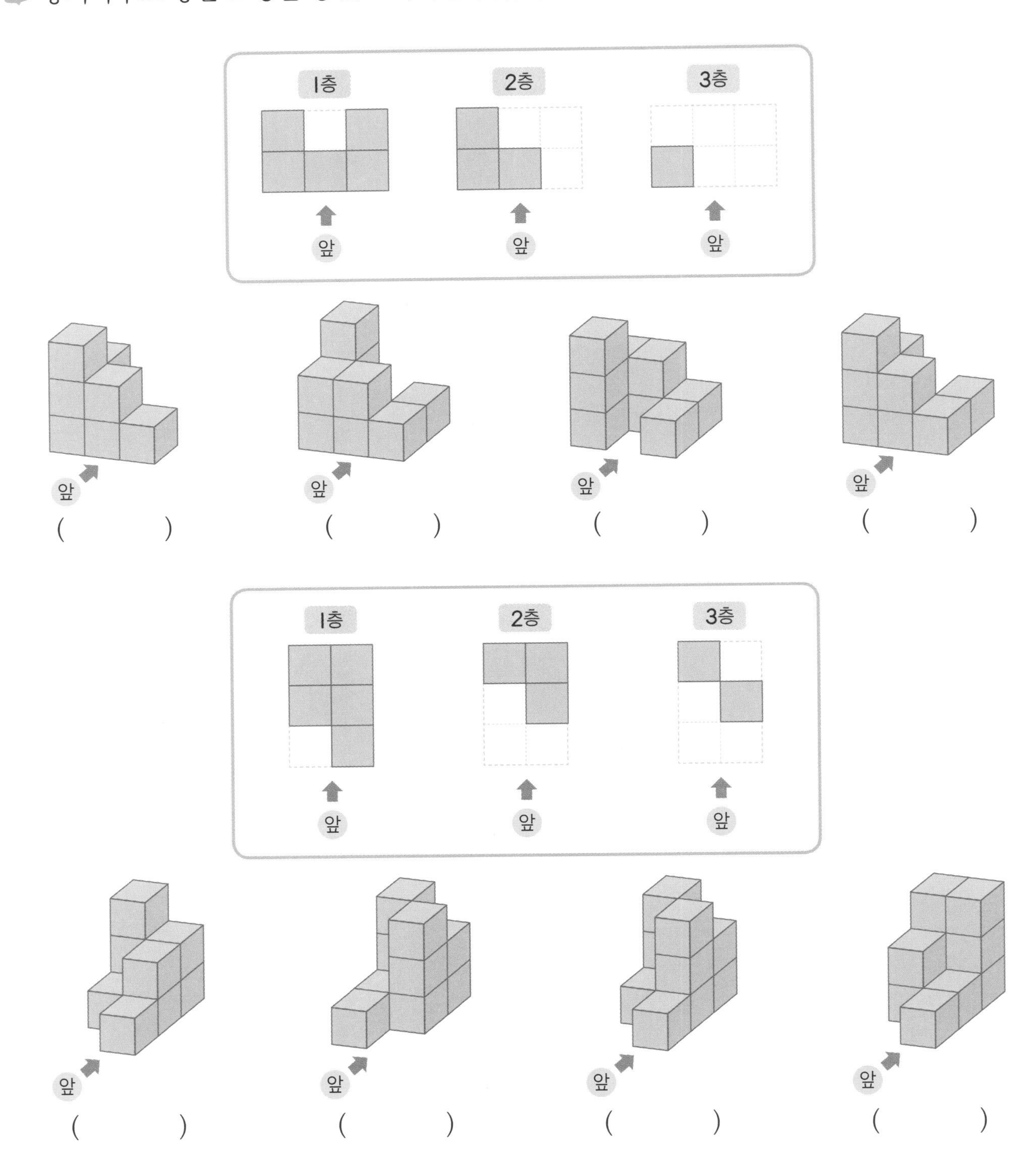

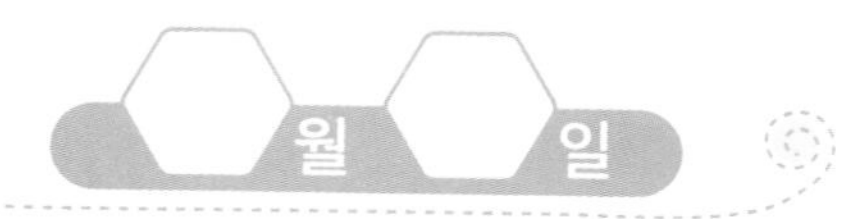

쌓기나무로 쌓은 모양을 층별로 나타낸 것입니다. 쌓은 모양을 찾아 이어 보세요.

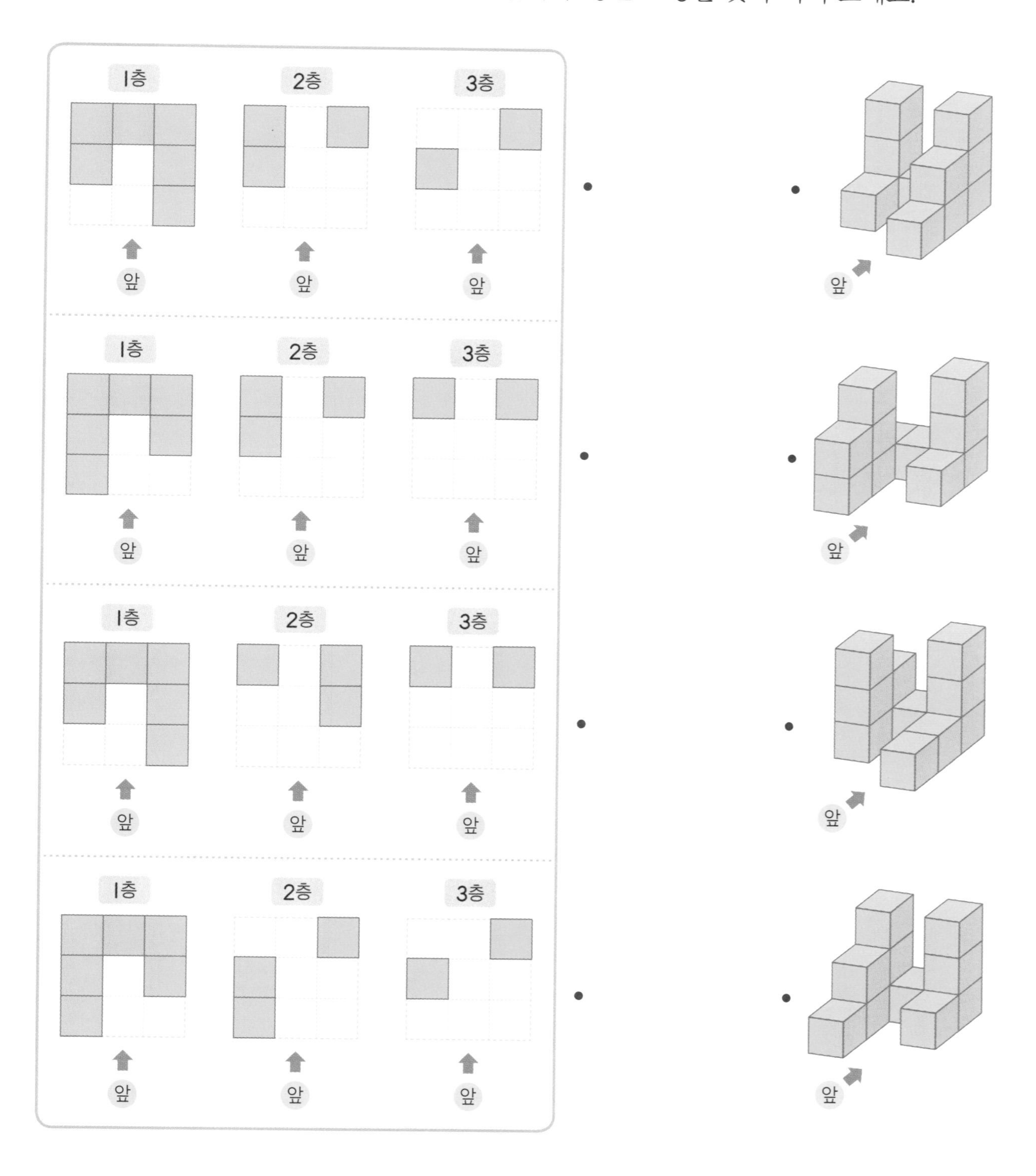

38일 쌓기나무의 개수

1. 쌓기나무로 쌓은 모양을 층별로 나타낸 것입니다. 모양을 쌓는 데 사용한 쌓기나무의 개수를 구해 보세요.

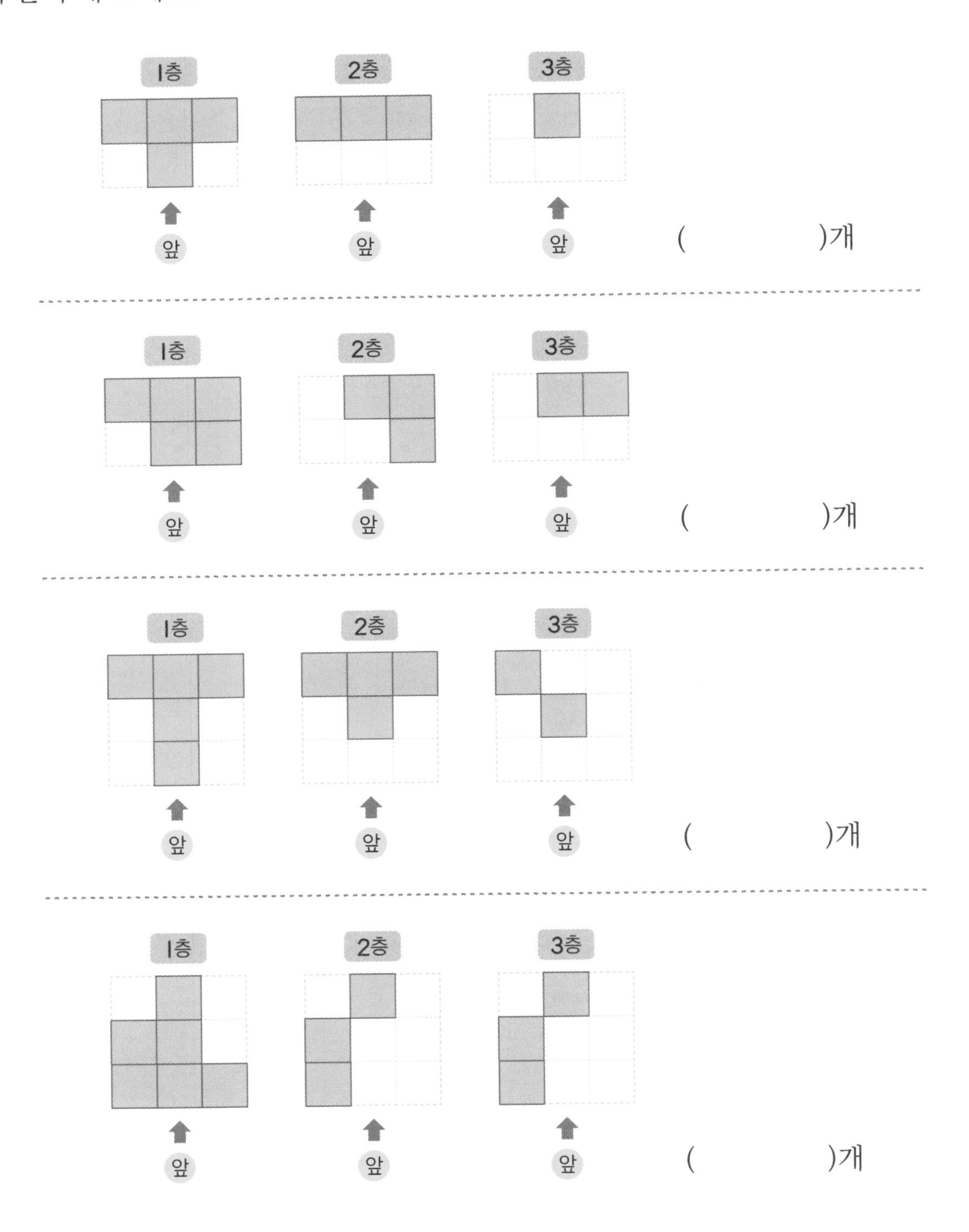

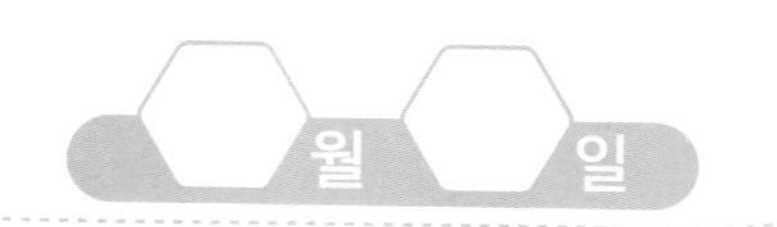

쌓기나무로 쌓은 모양과 위에서 본 모양을 보고 모양을 쌓는 데 사용한 쌓기나무의 개수를 구하려고 합니다. 빈칸에 알맞은 수를 써넣으세요.

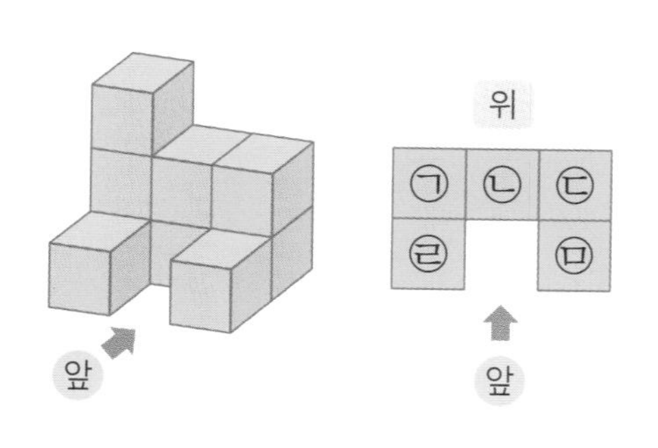

층별로 사용한 개수를 보면 1층에 ☐개, 2층에 ☐개, 3층에 ☐개이므로 모두 ☐개 사용했습니다.

위에서 본 모양에 수를 쓰면 ㉠에 ☐개, ㉡에 ☐개, ㉢에 ☐개, ㉣에 ☐개, ㉤에 ☐개이므로 모두 ☐개 사용했습니다.

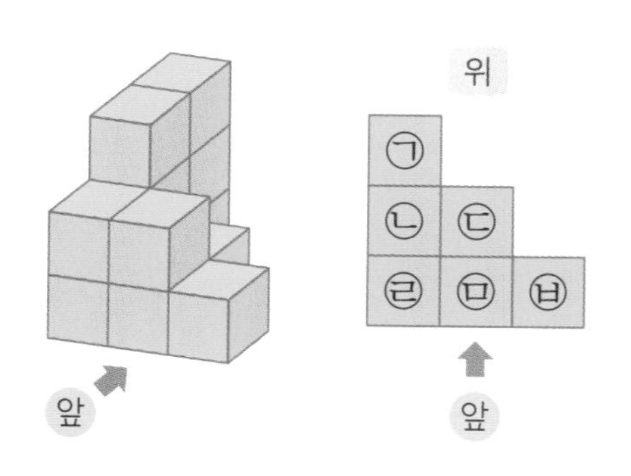

층별로 사용한 개수를 보면 1층에 ☐개, 2층에 ☐개, 3층에 ☐개이므로 모두 ☐개 사용했습니다.

위에서 본 모양에 수를 쓰면 ㉠에 ☐개, ㉡에 ☐개, ㉢에 ☐개, ㉣에 ☐개, ㉤에 ☐개, ㉥에 ☐개이므로 모두 ☐개 사용했습니다.

위, 앞, 옆 모양

쌓기나무로 쌓은 모양을 층별로 나타낸 것입니다. 위에서 본 모양을 그리고, 위에서 본 모양의 각 자리에 쌓기나무의 수를 써 보세요.

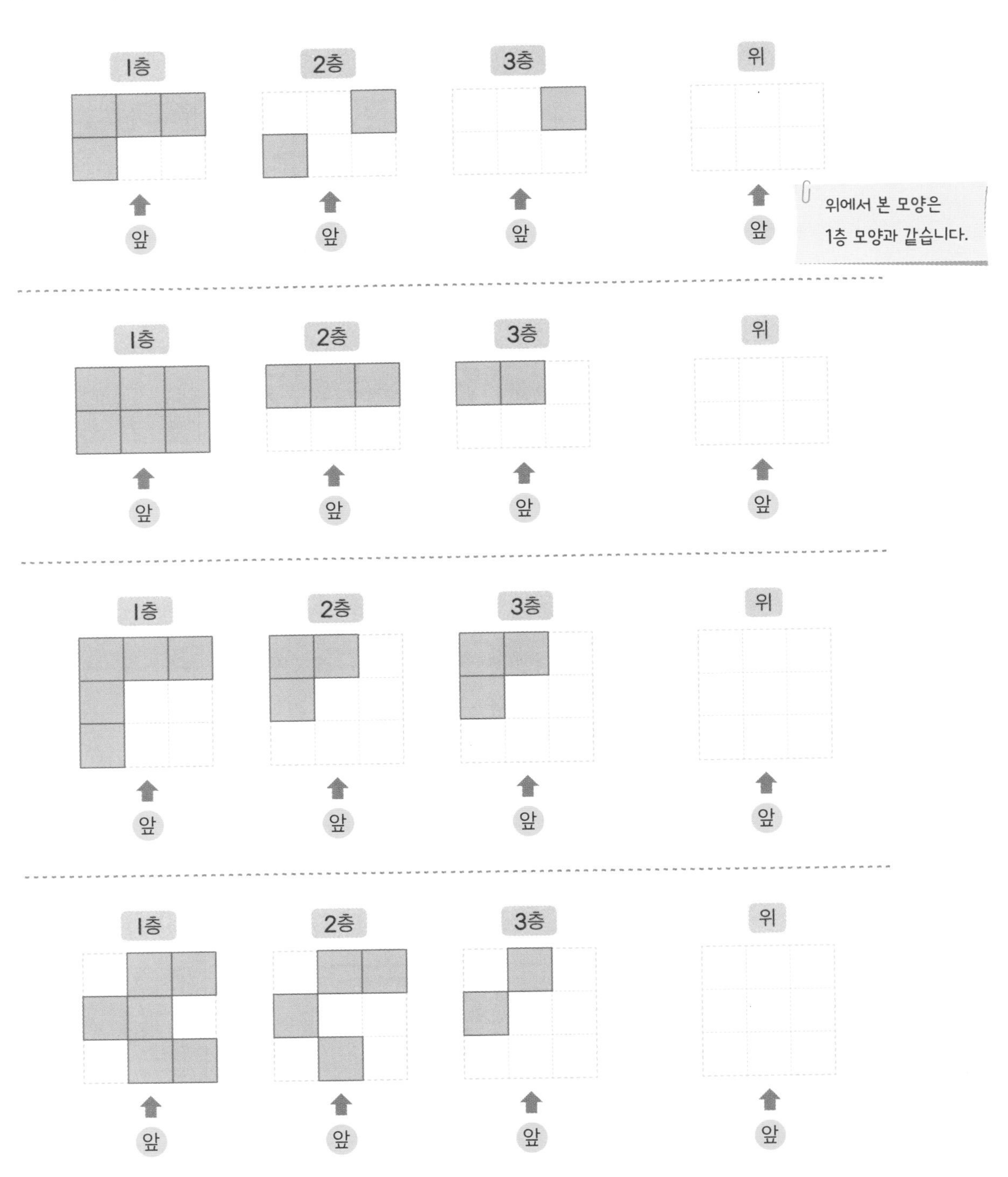

쌓기나무로 쌓은 모양을 층별로 나타낸 것입니다. 앞과 옆에서 본 모양을 그려 보세요.

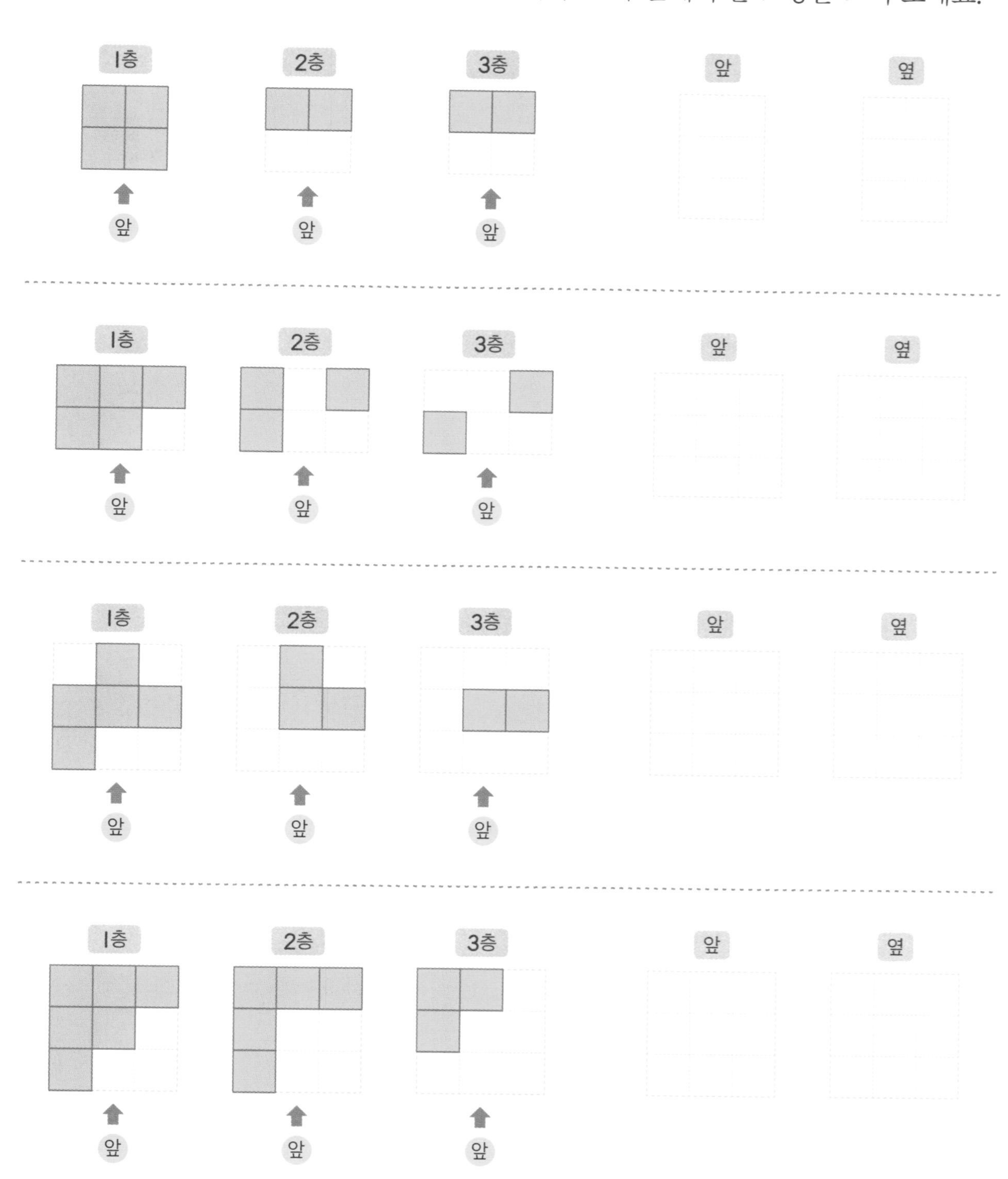

40일 층별 모양 찾기

쌓기나무로 쌓은 모양의 1층 모양을 보고 2층과 3층 모양을 찾아 각각 기호를 써 보세요.
단, 2층과 3층 모양은 서로 다릅니다.

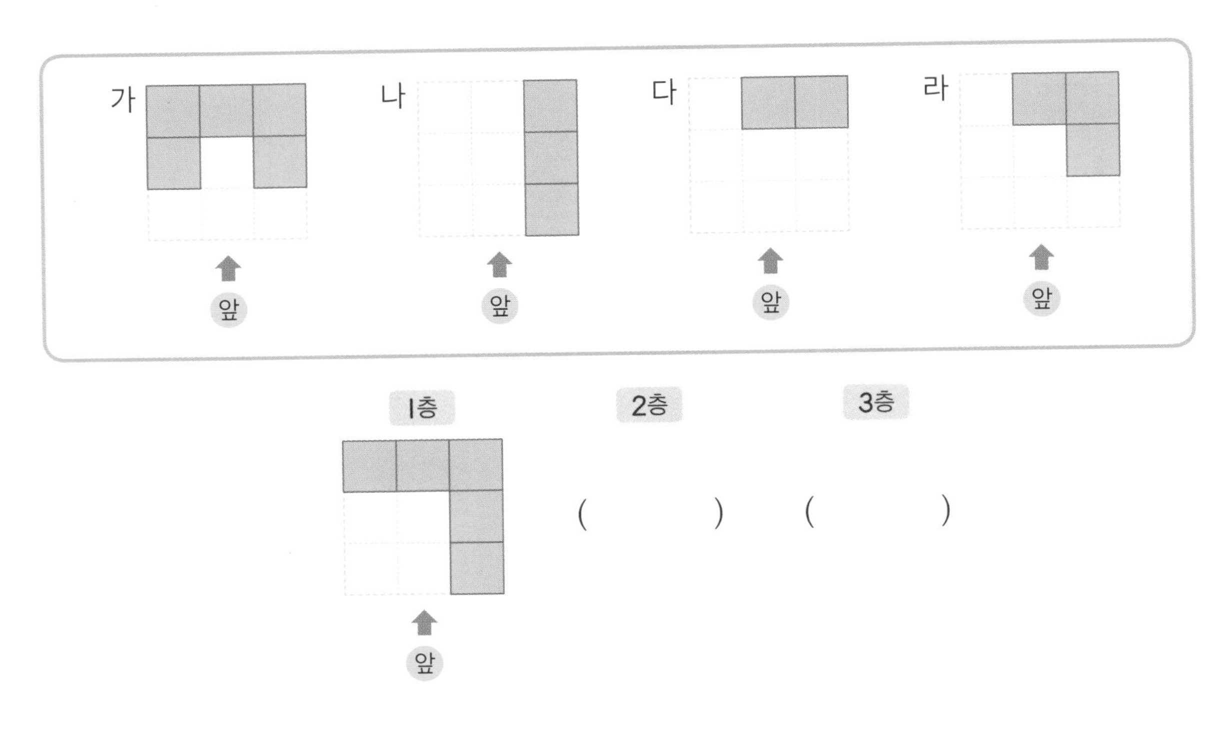

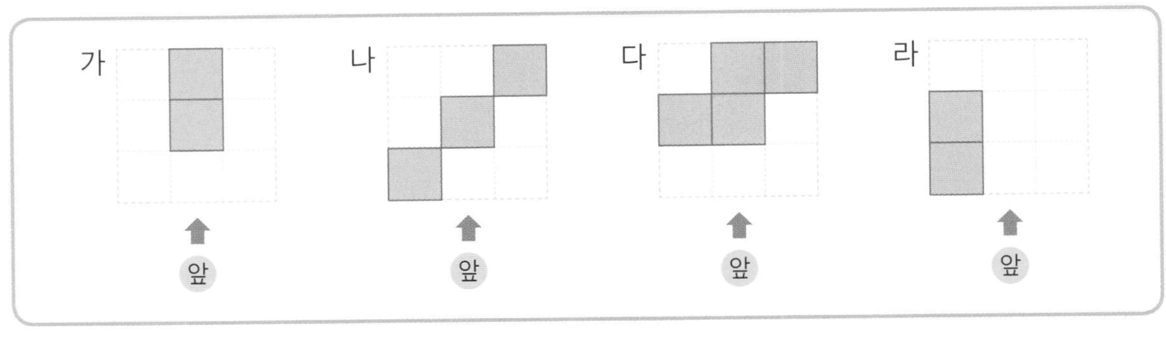

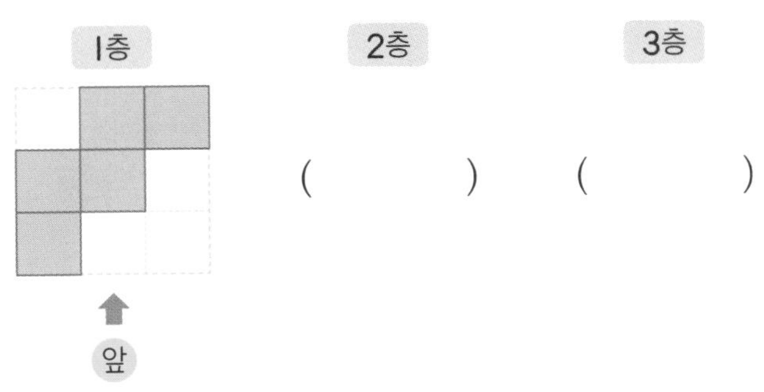

쌓기나무로 쌓은 모양의 3층 모양을 보고 1층과 2층 모양을 찾아 각각 기호를 써 보세요. 단, 1층과 2층 모양은 서로 다릅니다.

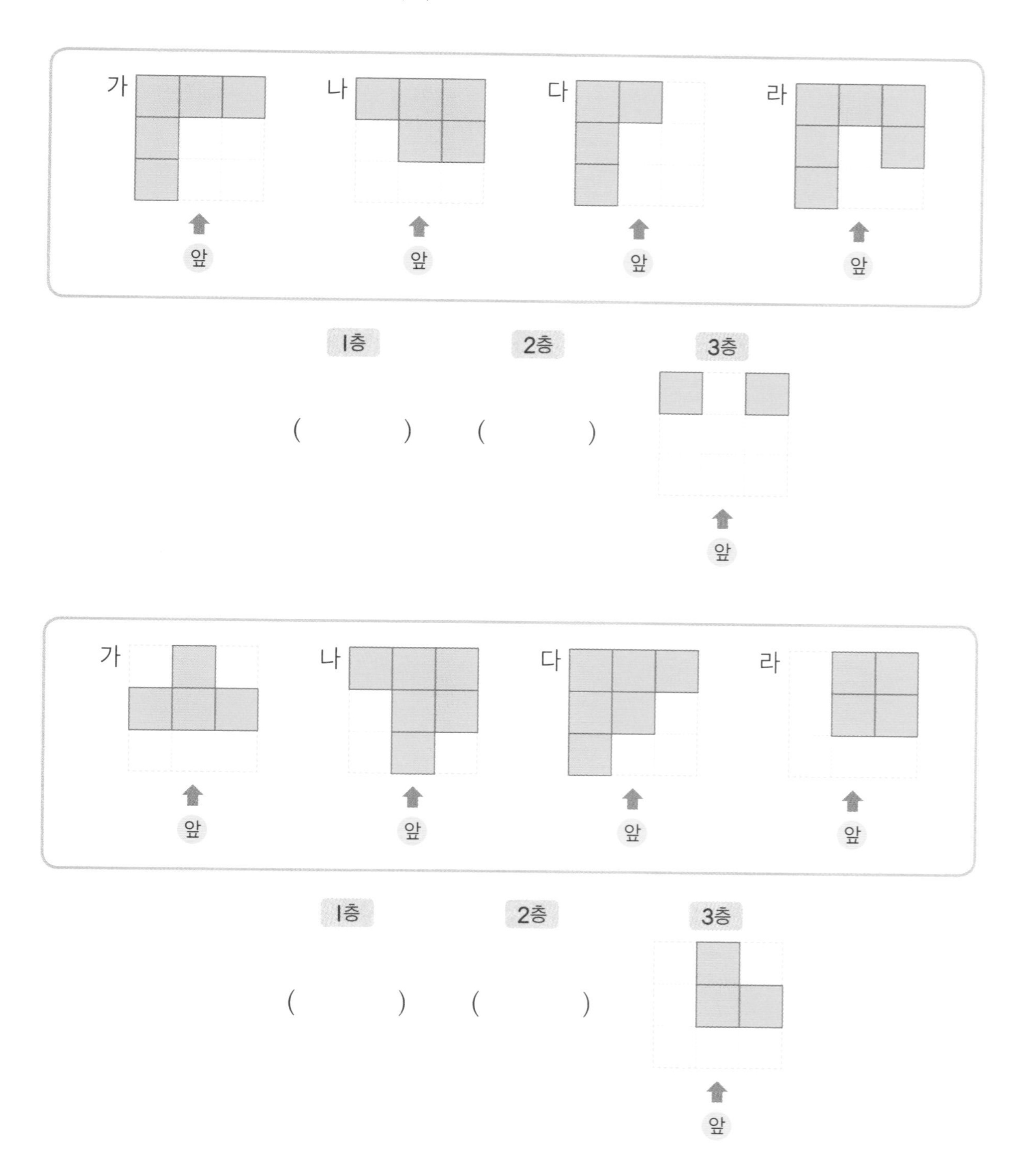

쌓기나무로 쌓은 3층짜리 모양 2개를 층별로 나타낸 것입니다. 각 모양의 1층, 2층, 3층 모양을 찾아 기호를 써 보세요.

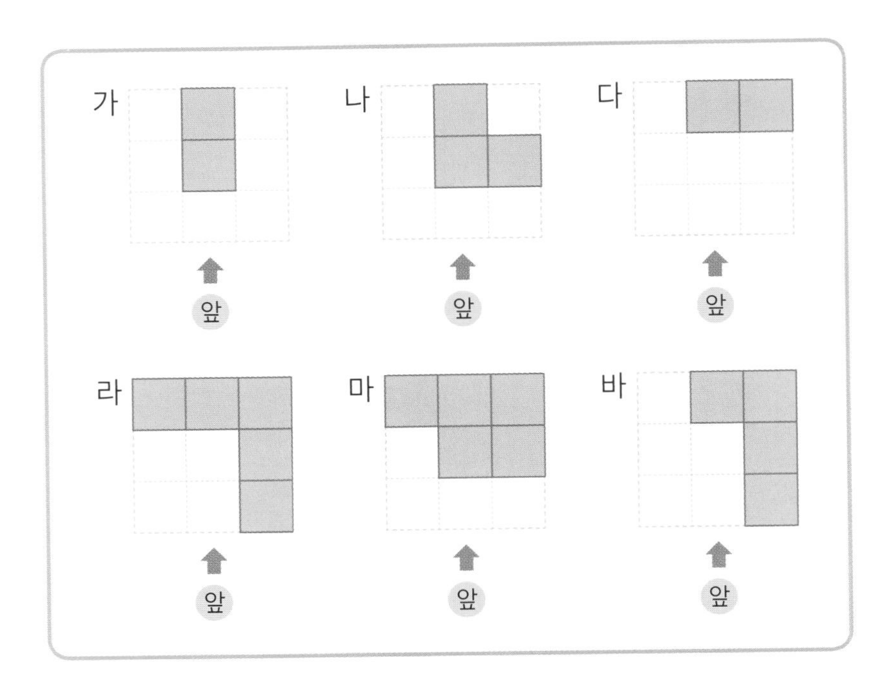

3층	
2층	
1층	

3층	
2층	
1층	

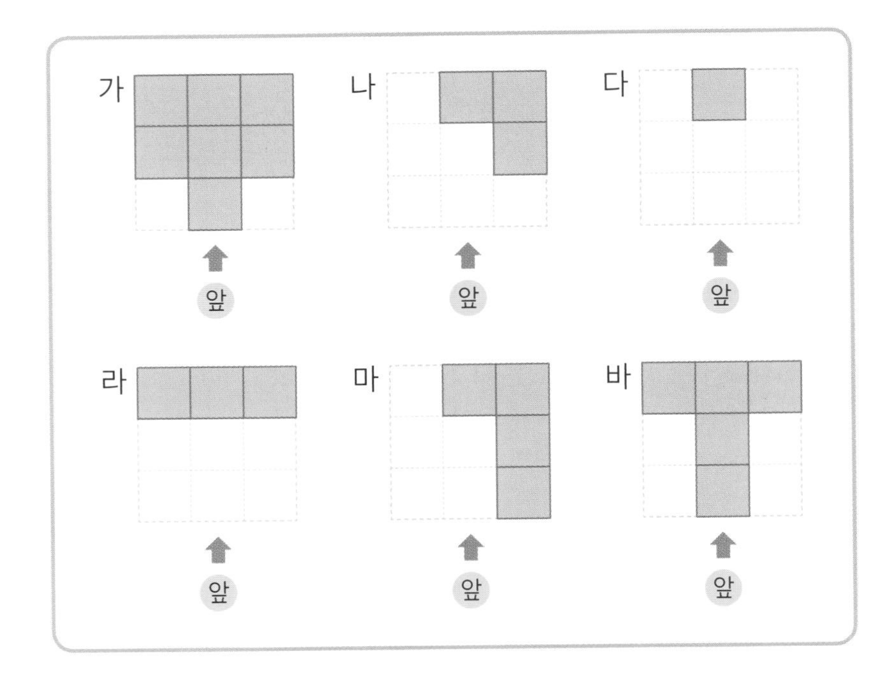

3층	
2층	
1층	

3층	
2층	
1층	

도형 플러스+

- 모양 만들기 -

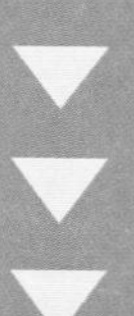

PLUS 1 같은 모양 찾기

쌓기나무 4개로 만든 모양입니다. 서로 같은 두 모양끼리 각각 기호를 써 보세요.

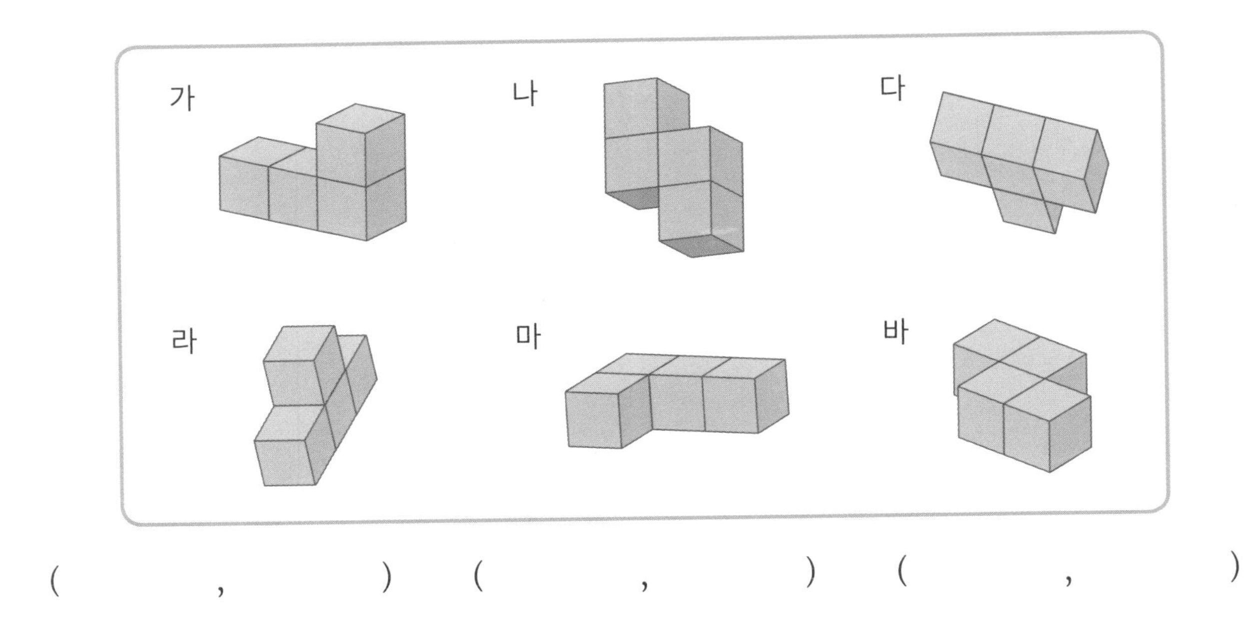

(,) (,) (,)

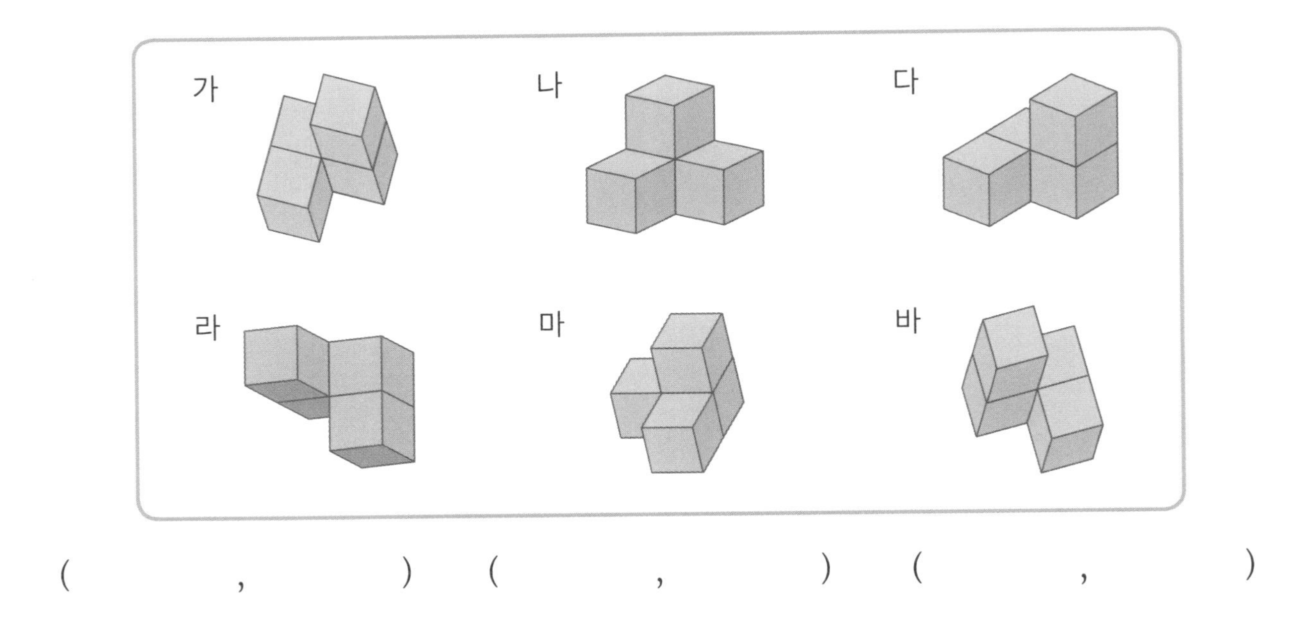

(,) (,) (,)

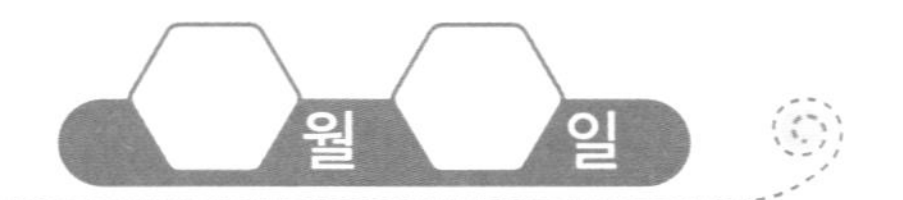

다른 모양 하나를 찾아 ×표 하세요.

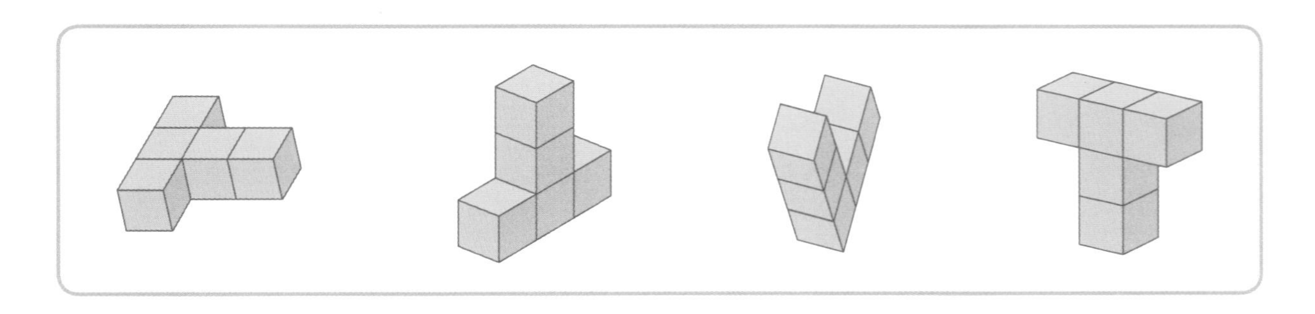

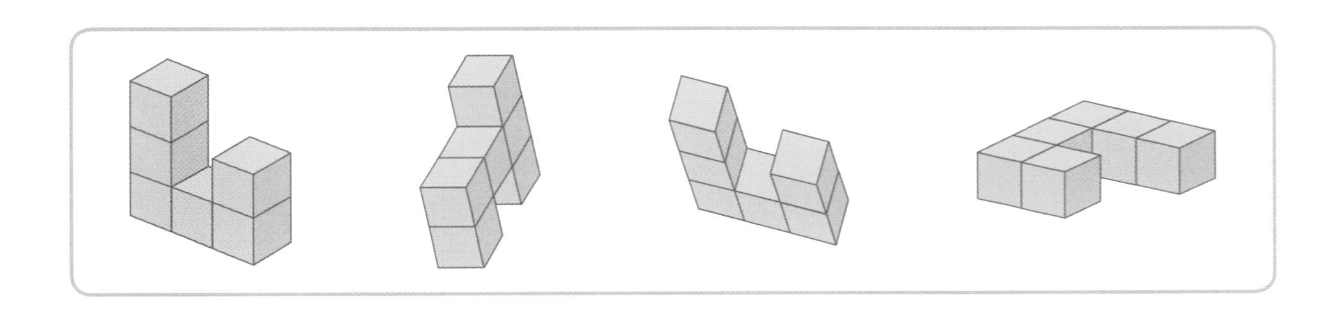

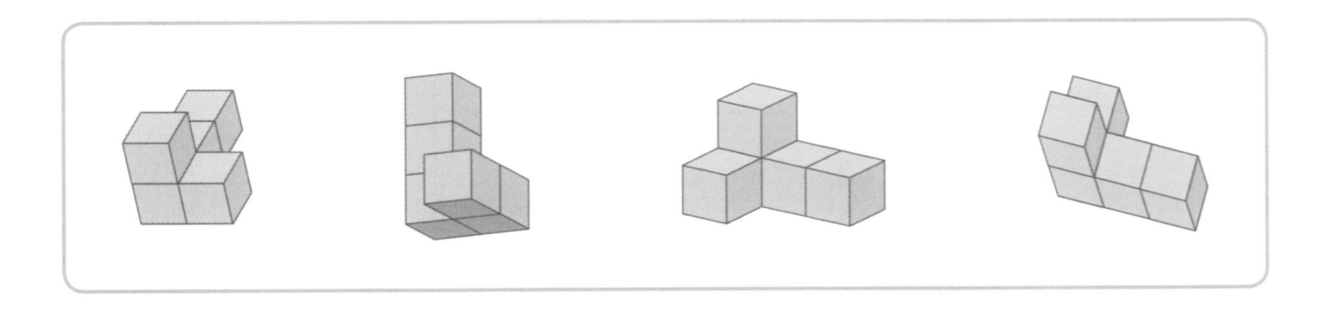

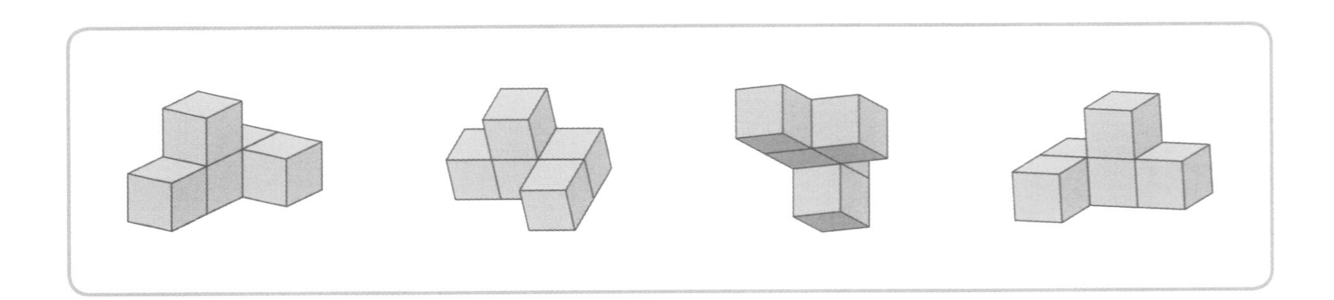

PLUS 2 모양 만들기

주어진 두 가지 모양을 사용하여 만든 모양입니다. 어떻게 만들었는지 구분하여 색칠해 보세요.

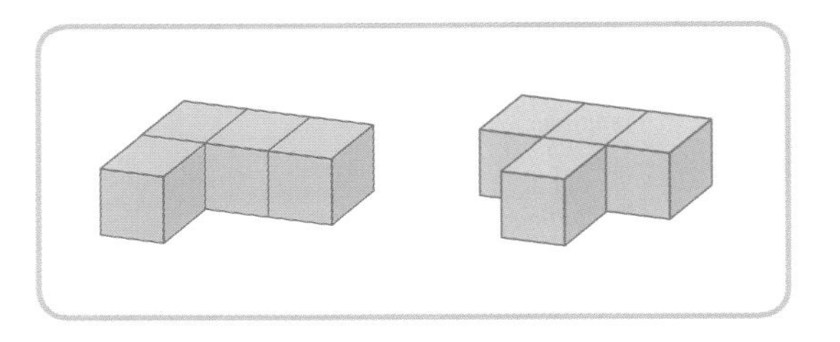
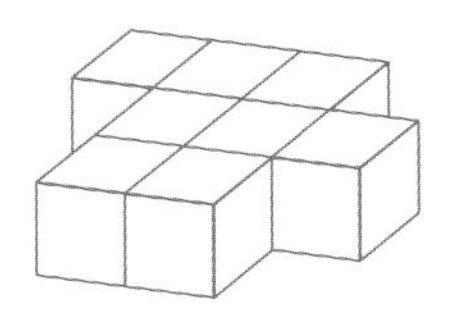
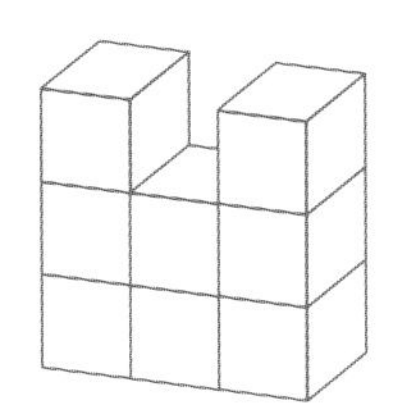

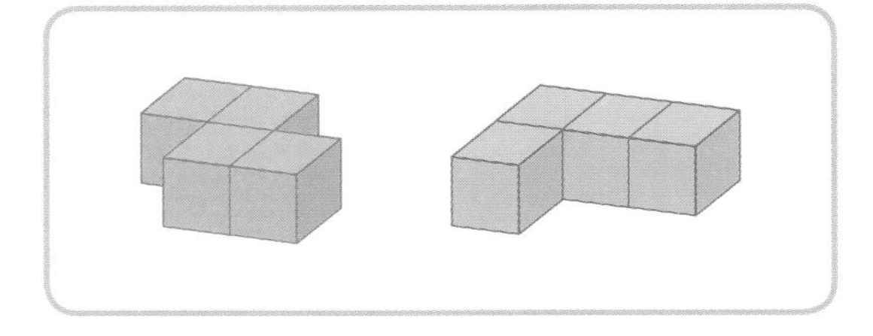
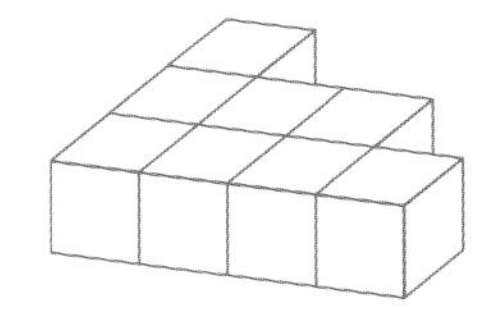
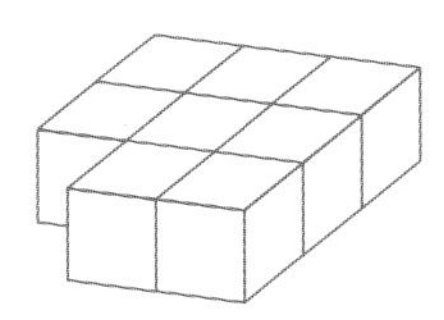

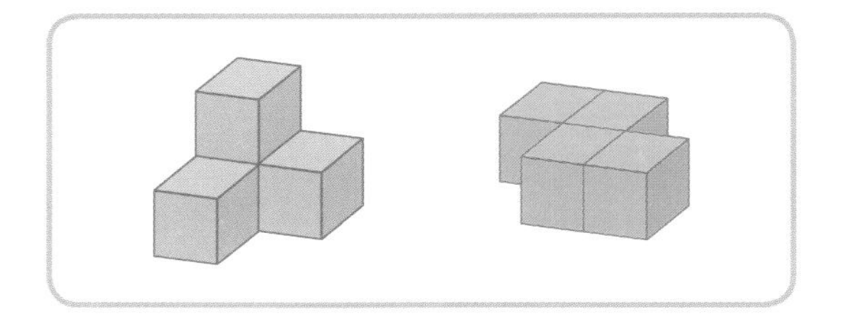
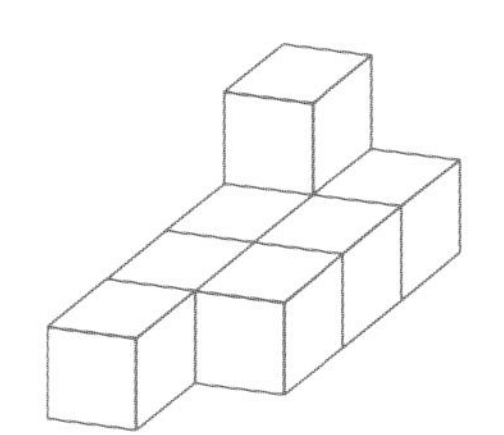
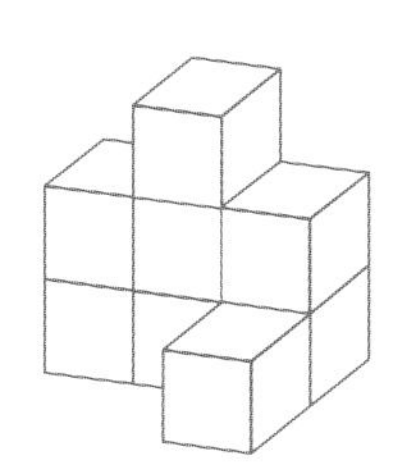

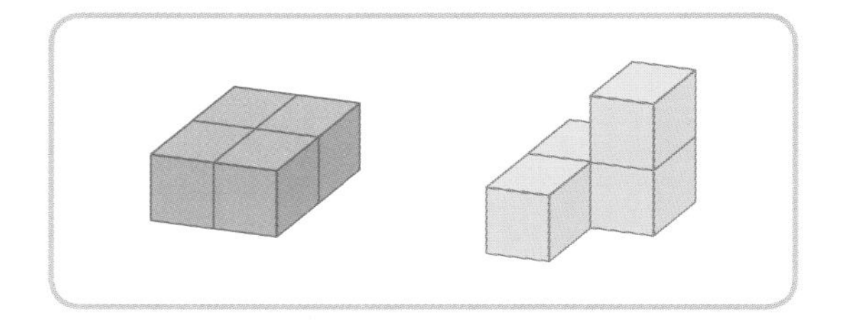
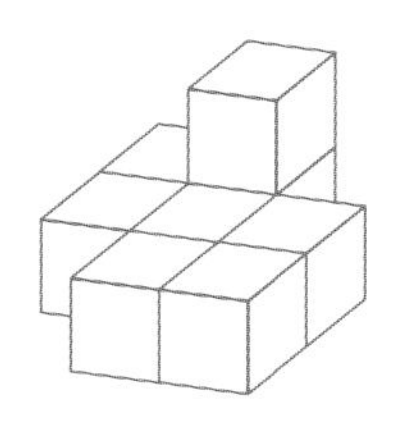
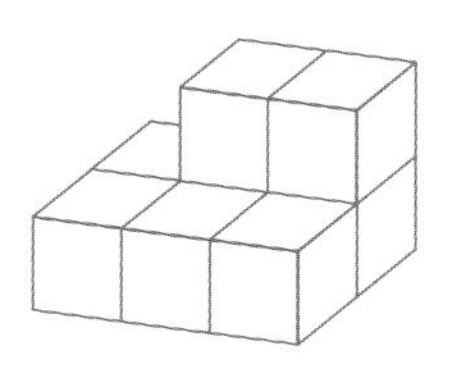

주어진 두 가지 모양을 사용하여 만들 수 없는 모양에 ×표 하세요.

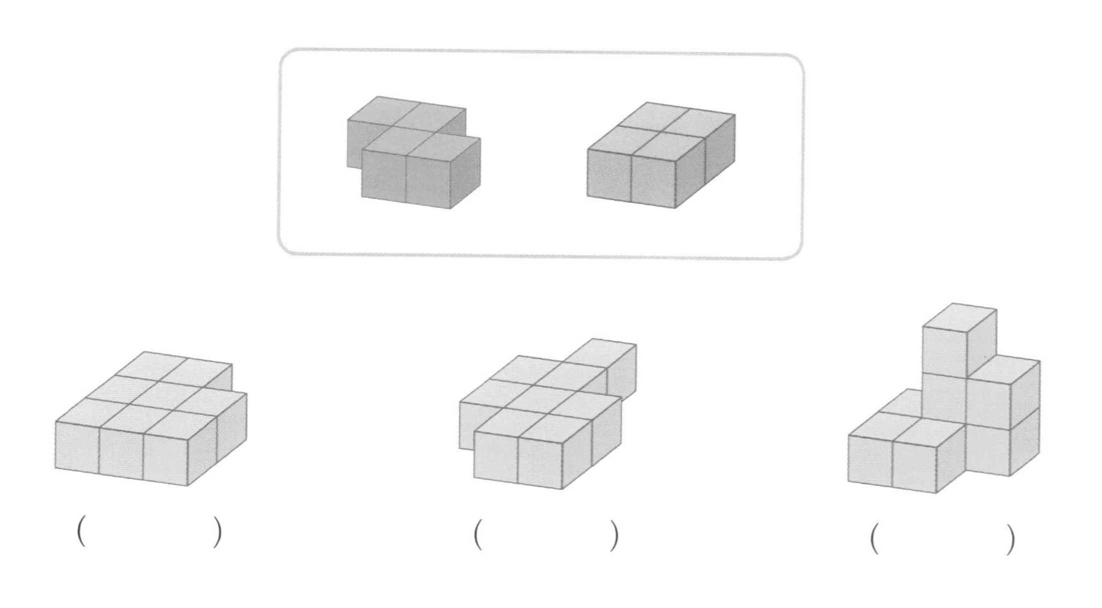

( ) ( ) ( )

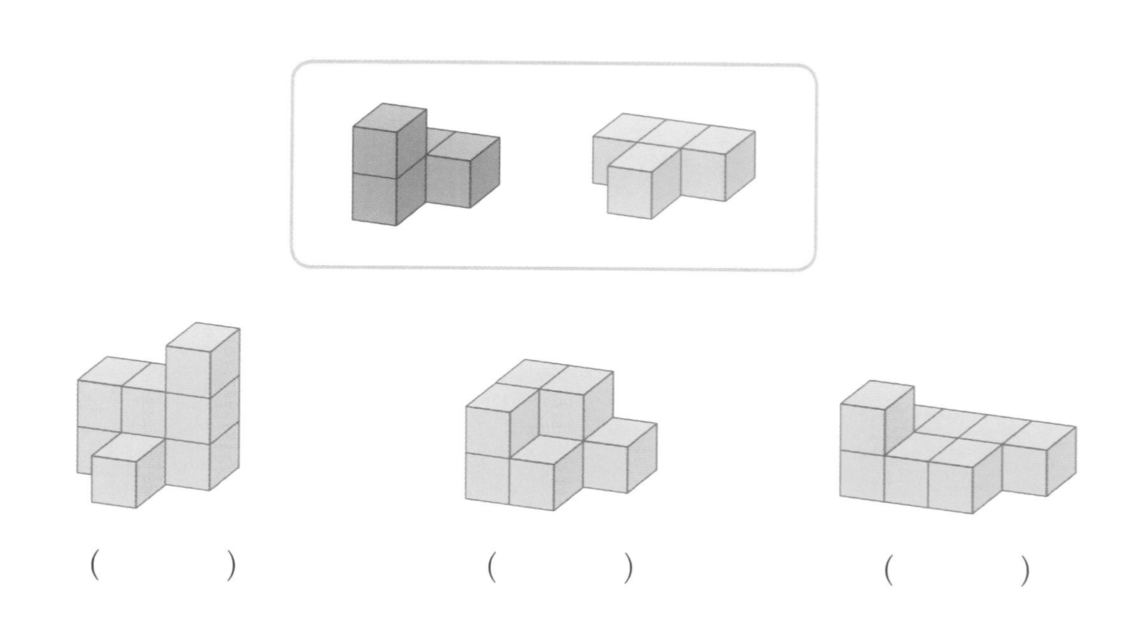

( ) ( ) ( )

PLUS 3 만든 모양 찾기

왼쪽 모양을 만드는 데 사용한 모양이 아닌 것에 ×표 하세요.

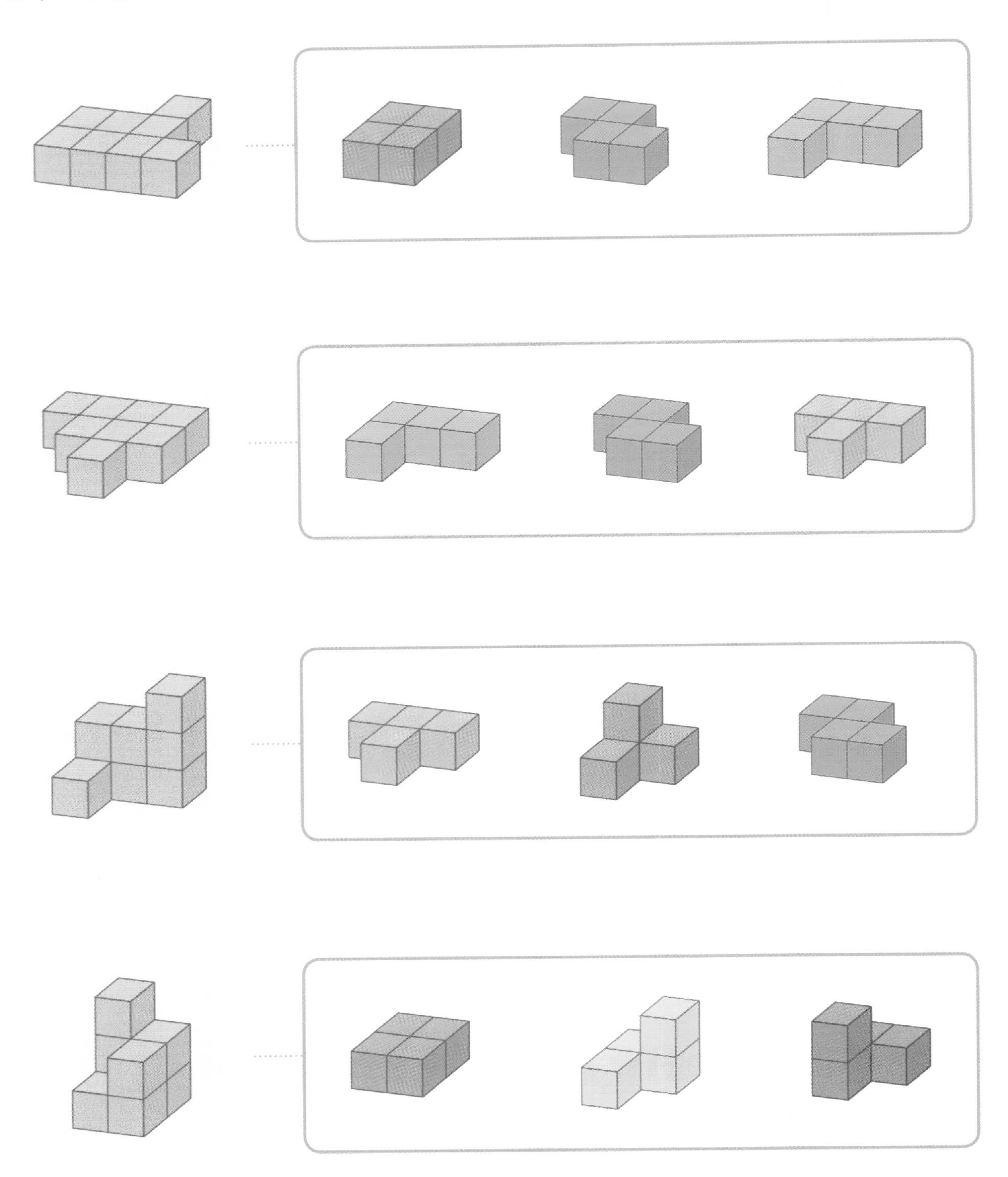

주어진 모양 중 서로 다른 두 가지를 사용하여 여러 가지 모양을 만들었습니다. 사용한 두 가지 모양을 찾아 각각 기호를 써 보세요.

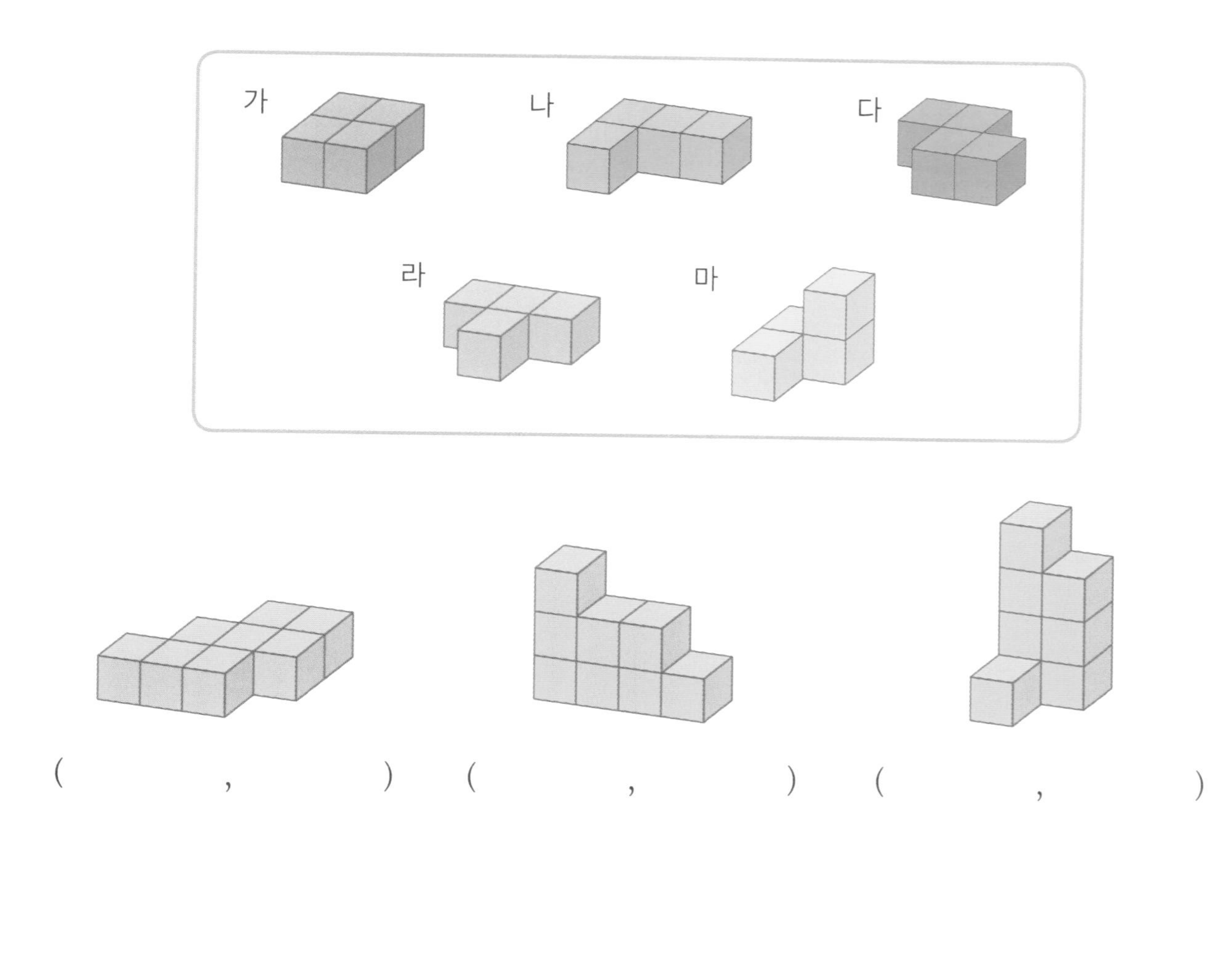

(,) (,) (,)

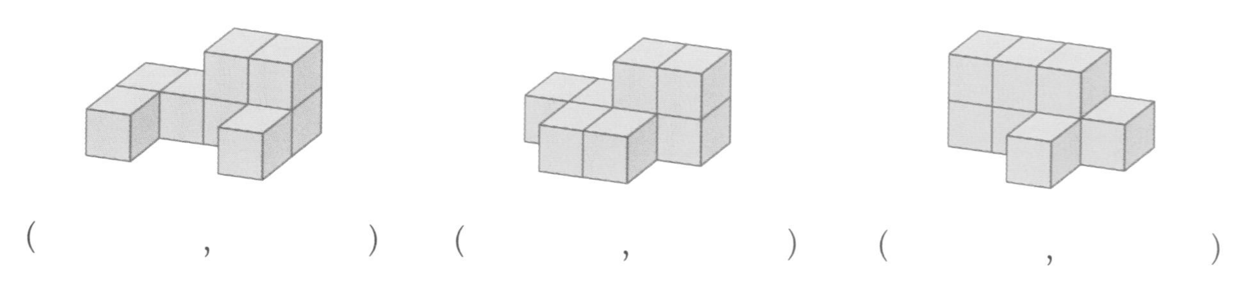

(,) (,) (,)

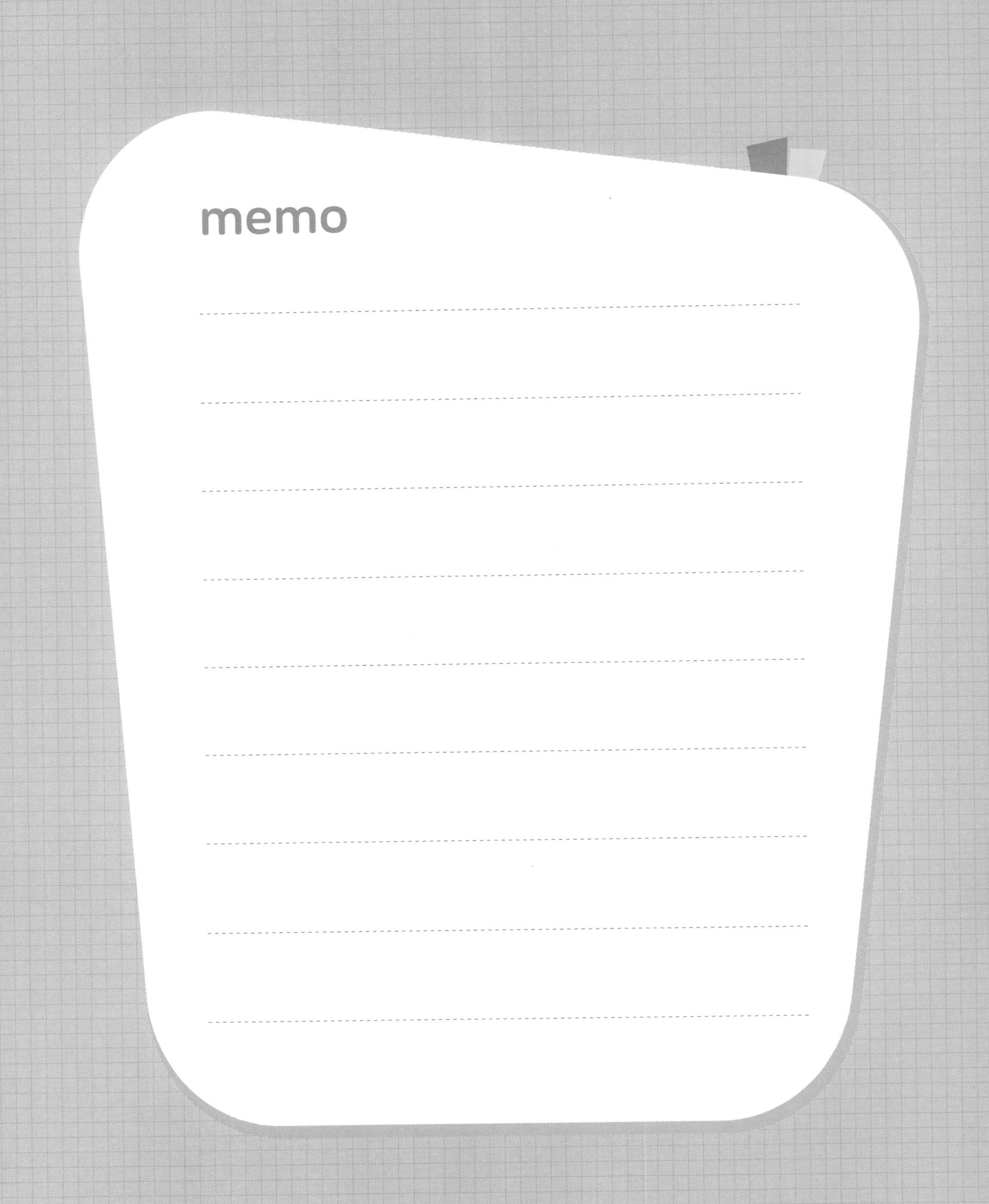
memo

형성평가

형성평가 1회

1 입체도형을 옆에서 본 모양을 찾아 ◯표 하세요.

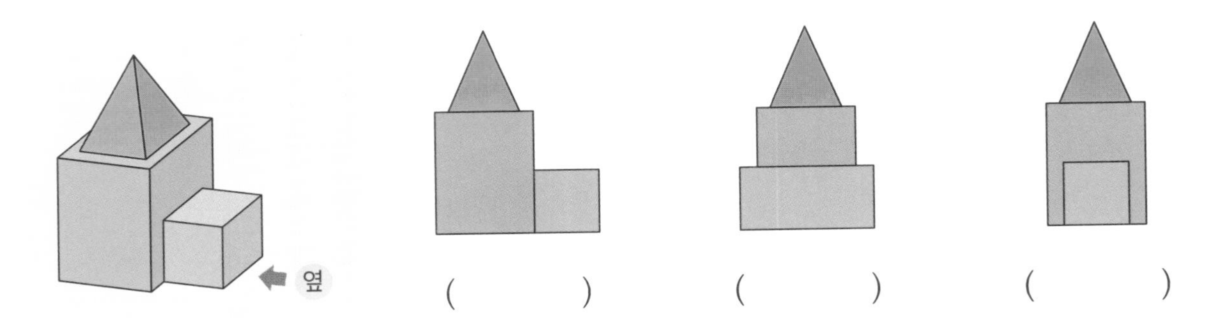

( ) ( ) ( )

2 쌓기나무로 쌓은 모양을 보고 위에서 본 모양의 각 자리에 쌓기나무의 수를 쓴 것입니다. 앞과 옆에서 본 모양이 서로 같은 것에 ◯표 하세요.

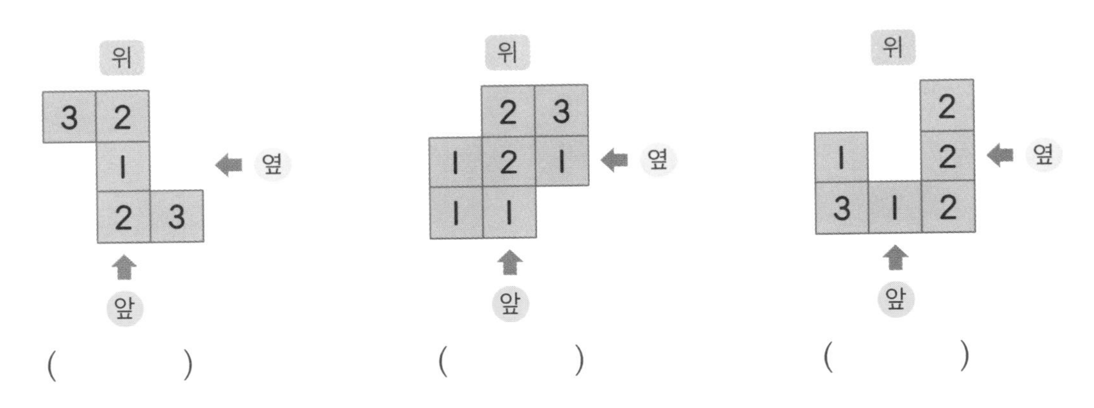

( ) ( ) ( )

3 쌓기나무로 쌓은 모양과 위에서 본 모양입니다. 모양을 쌓는 데 사용한 쌓기나무의 개수를 구해 보세요.

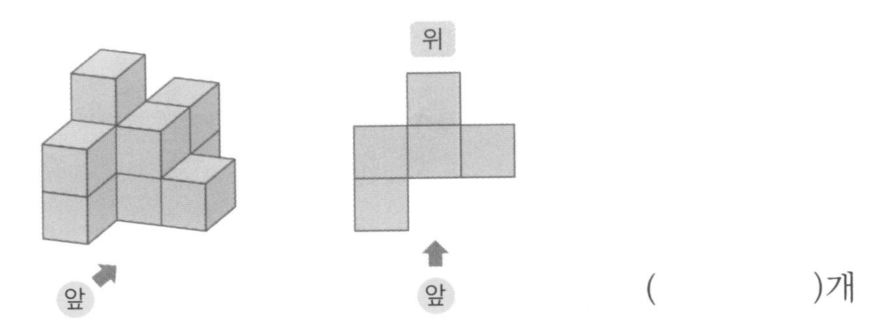

( )개

4 왼쪽은 쌓기나무로 쌓은 모양의 1층과 3층 모양입니다. 2층 모양이 될 수 있는 것의 기호를 써 보세요.

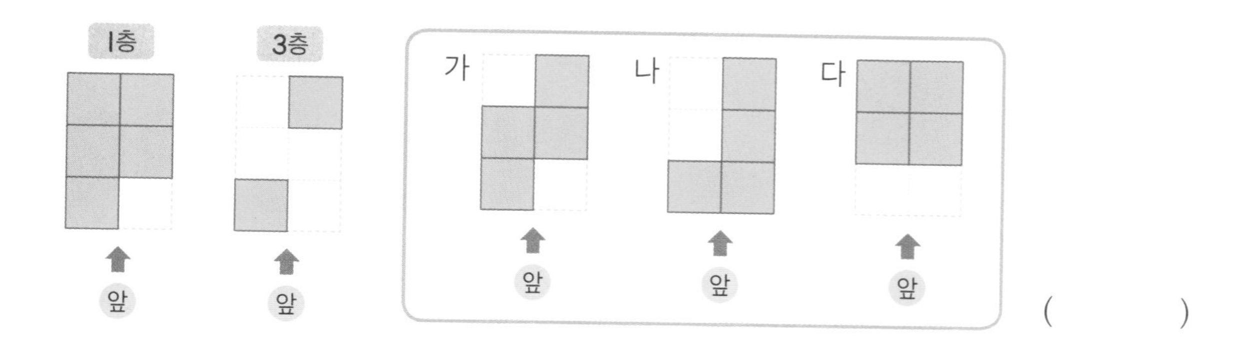

(　　　　)

5 쌓기나무로 쌓은 모양을 위, 앞, 옆에서 본 모양입니다. 모양을 쌓는 데 사용한 쌓기나무의 개수를 구해 보세요.

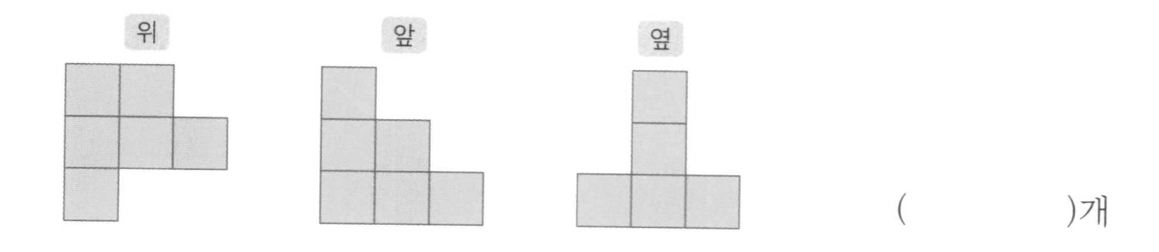

(　　　　)개

6 주어진 모양과 똑같이 쌓는 데 쌓기나무가 적어도 몇 개 필요하고, 최대 몇 개까지 사용할 수 있을까요?

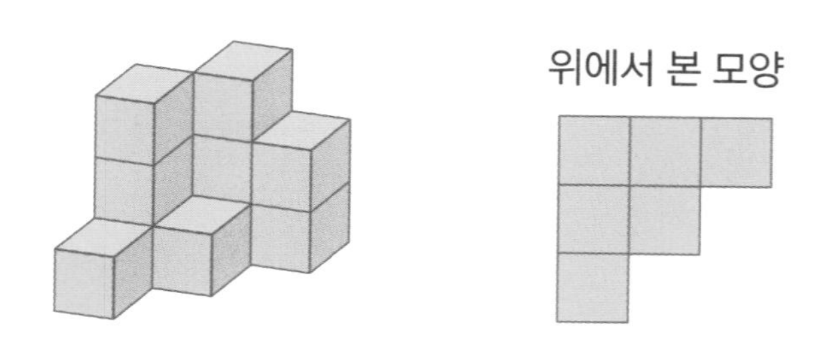

쌓기나무는 적어도 [　　] 개 필요하고, 최대 [　　] 개까지 사용할 수 있습니다.

형성평가 2회

1 다음과 같이 공을 놓고 여러 방향에서 보았습니다. 각 그림은 어느 방향에서 본 것인지 찾아 기호를 써 보세요.

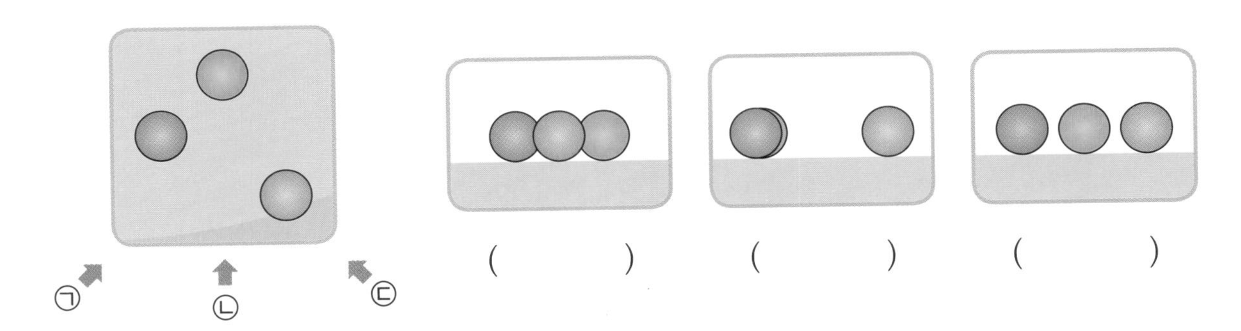

2 쌓기나무로 쌓은 모양을 보고 위에서 본 모양의 각 자리에 쌓기나무의 수를 써 보세요.

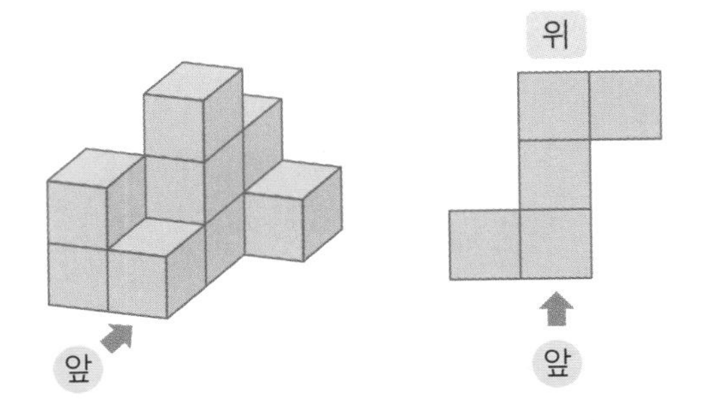

3 쌓기나무로 쌓은 모양을 위, 앞, 옆에서 본 모양입니다. 쌓은 모양이 될 수 없는 것을 찾아 ×표 하세요.

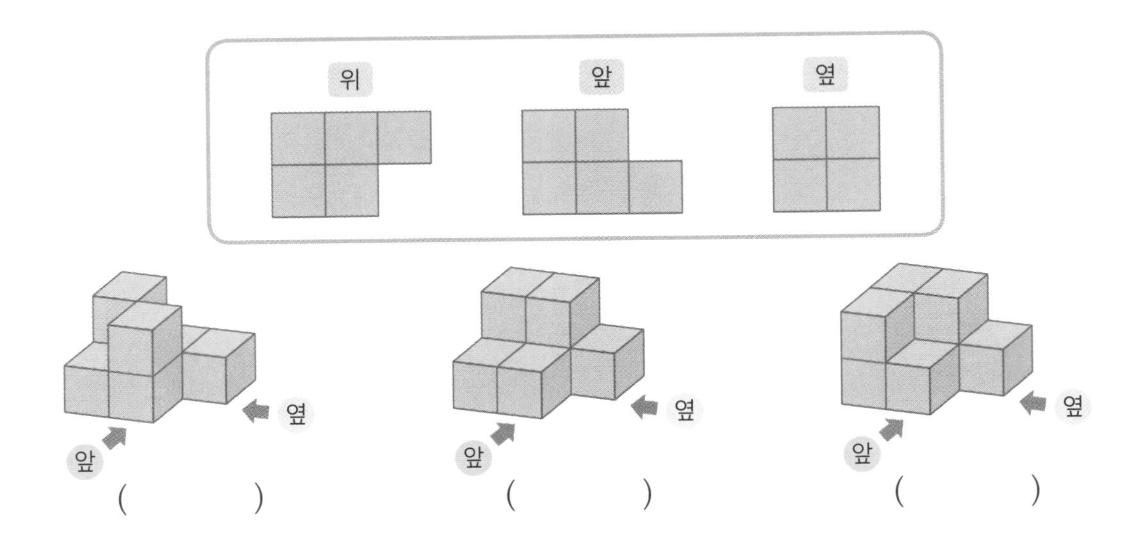

4 쌓기나무로 쌓은 모양을 위와 앞에서 본 모양입니다. 옆에서 본 모양을 그려 보세요.

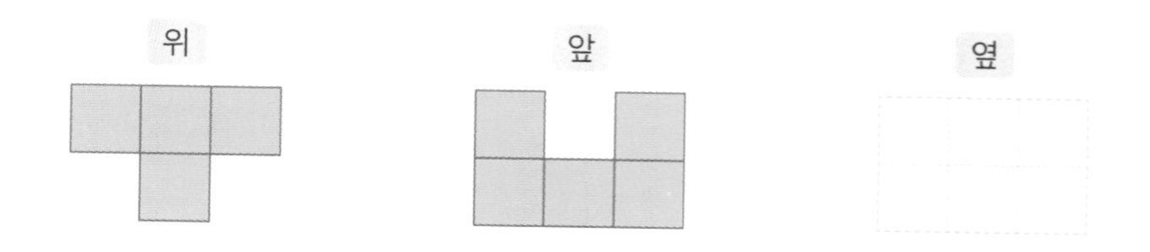

5 쌓기나무로 쌓은 모양을 층별로 나타낸 것입니다. 앞과 옆에서 본 모양을 그리고, 모양을 쌓는 데 사용한 쌓기나무의 개수를 구해 보세요.

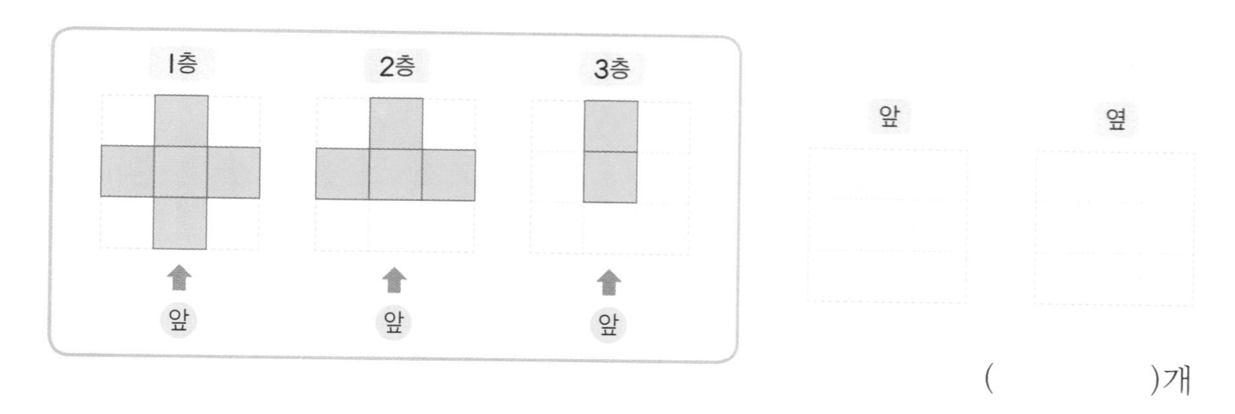

( )개

6 조건에 맞는 모양을 위에서 본 모양의 각 자리에 쌓기나무 수를 쓰는 방법으로 나타내어 보세요.

- 쌓기나무 6개로 쌓은 모양입니다.
- 2층짜리 모양입니다.
- 위, 앞, 옆에서 본 모양이 모두 같습니다.

memo

하루 한 장 60일 집중 완성

교과도형

초6

F 2

공간과 입체

정 답

F2
공간과 입체

1주차 여러 방향에서 본 모양

8쪽·9쪽

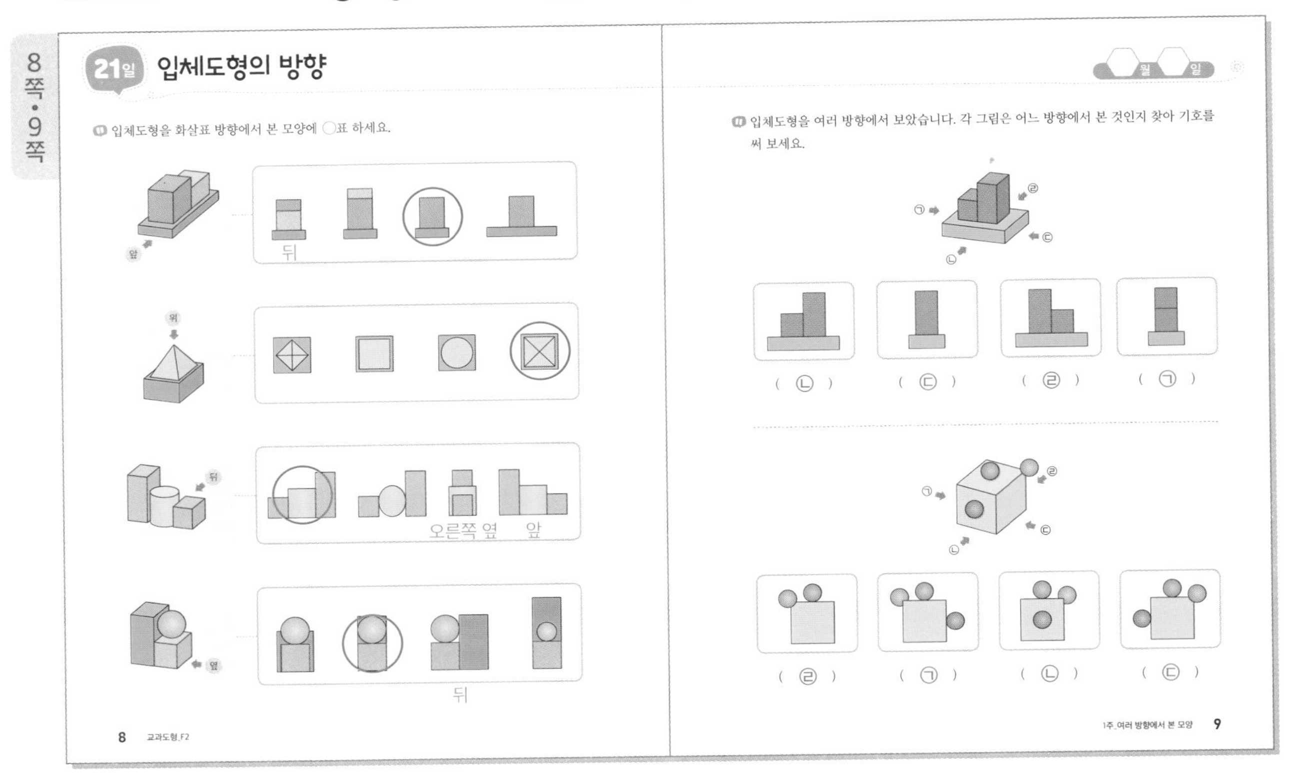
21일 입체도형의 방향

1 입체도형을 화살표 방향에서 본 모양에 ○표 하세요.

월 일

1 입체도형을 여러 방향에서 보았습니다. 각 그림은 어느 방향에서 본 것인지 찾아 기호를 써 보세요.

(㉡) (㉢) (㉣) (㉠)

(㉣) (㉠) (㉡) (㉢)

10쪽·11쪽

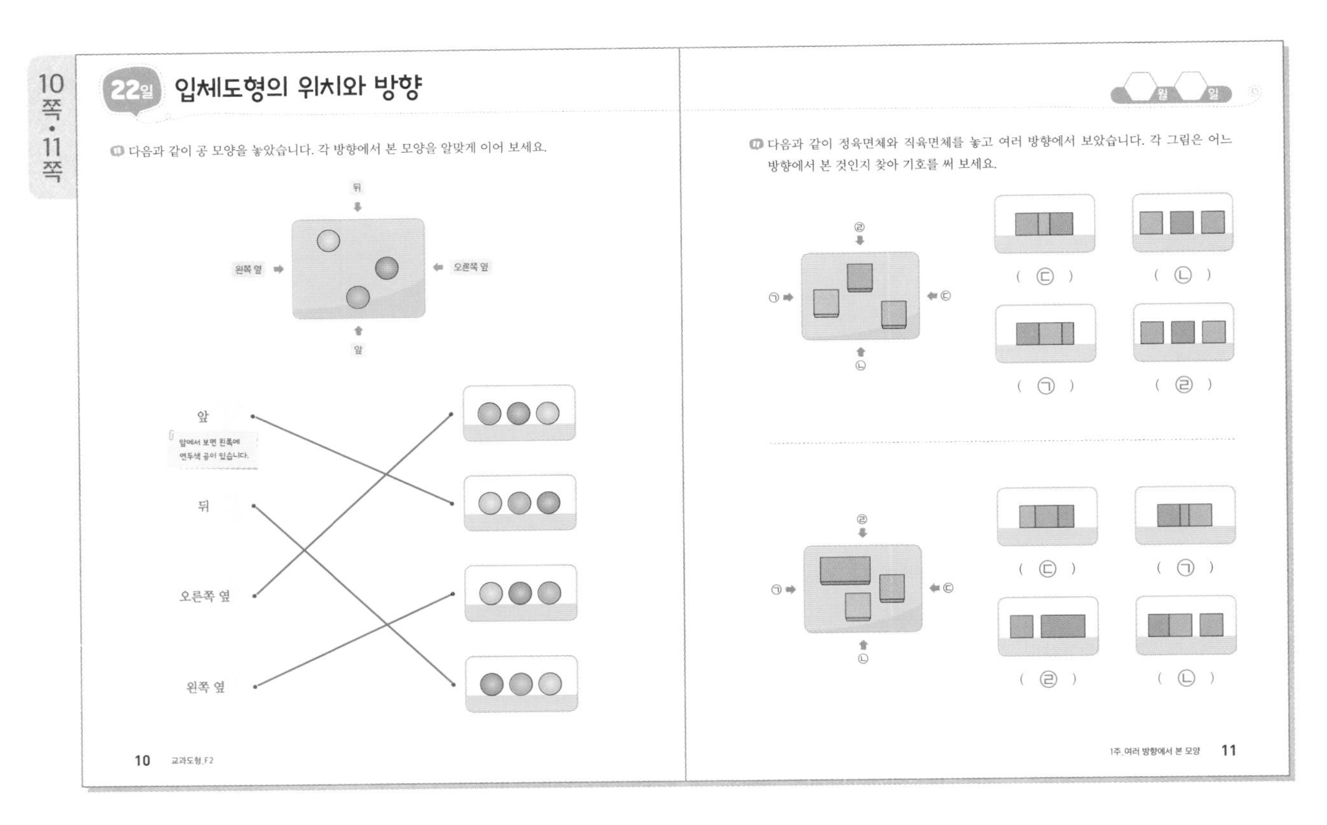
22일 입체도형의 위치와 방향

1 다음과 같이 공 모양을 놓았습니다. 각 방향에서 본 모양을 알맞게 이어 보세요.

월 일

1 다음과 같이 정육면체와 직육면체를 놓고 여러 방향에서 보았습니다. 각 그림은 어느 방향에서 본 것인지 찾아 기호를 써 보세요.

(㉢) (㉡)
(㉠) (㉣)

(㉢) (㉠)
(㉣) (㉡)

12쪽·13쪽

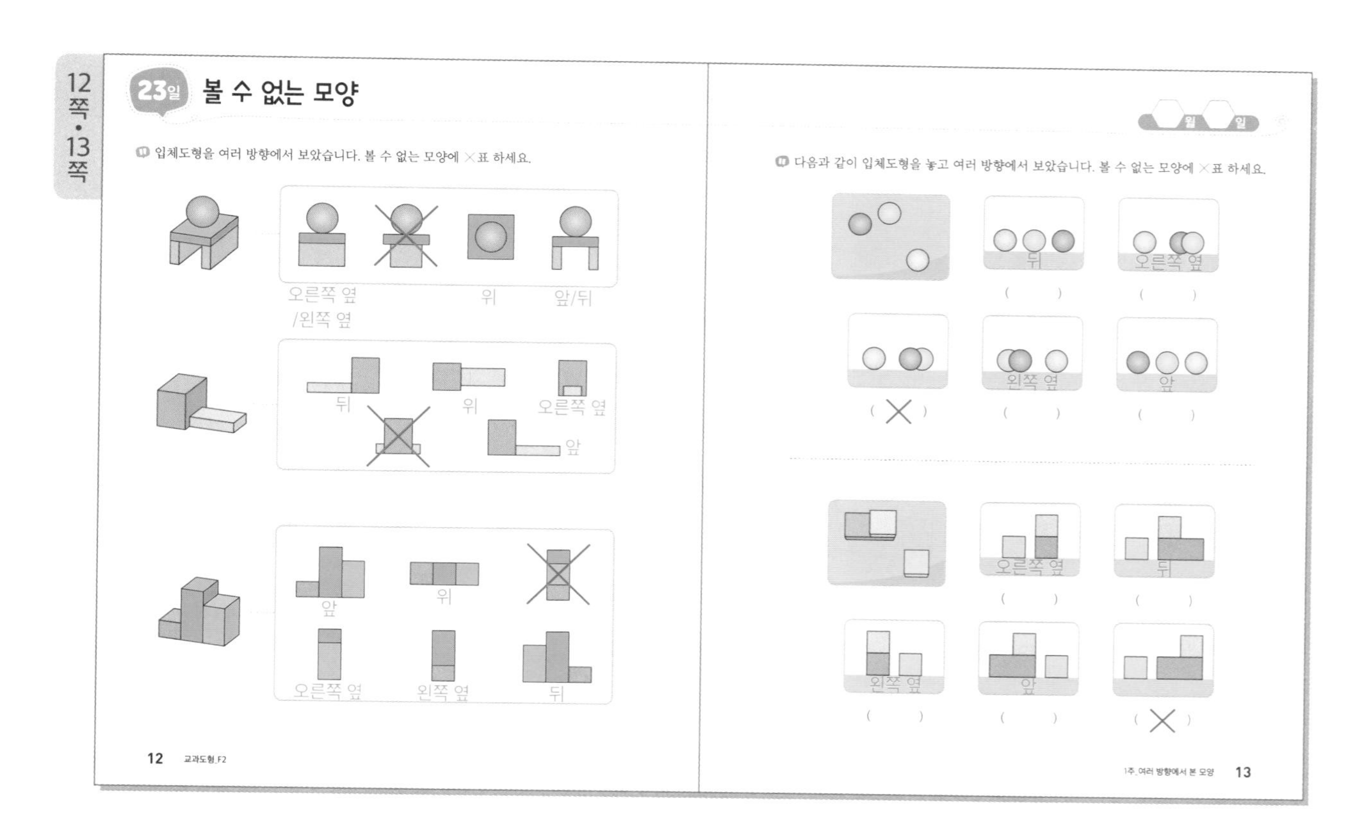

23일 볼 수 없는 모양

월 일

1 입체도형을 여러 방향에서 보았습니다. 볼 수 없는 모양에 ×표 하세요.

2 다음과 같이 입체도형을 놓고 여러 방향에서 보았습니다. 볼 수 없는 모양에 ×표 하세요.

14쪽·15쪽

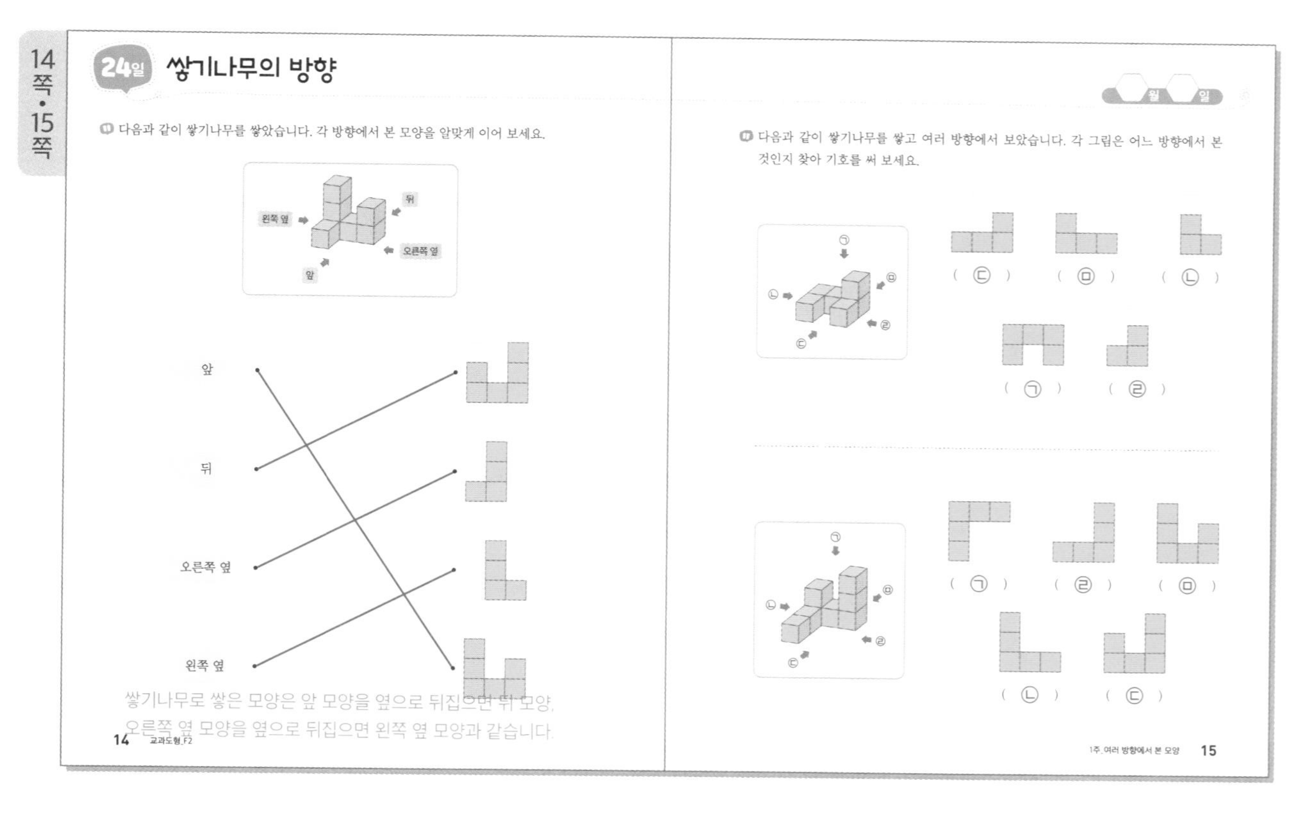

24일 쌓기나무의 방향

월 일

1 다음과 같이 쌓기나무를 쌓았습니다. 각 방향에서 본 모양을 알맞게 이어 보세요.

쌓기나무로 쌓은 모양은 앞 모양을 옆으로 뒤집으면 뒤 모양, 오른쪽 옆 모양을 옆으로 뒤집으면 왼쪽 옆 모양과 같습니다.

2 다음과 같이 쌓기나무를 쌓고 여러 방향에서 보았습니다. 각 그림은 어느 방향에서 본 것인지 찾아 기호를 써 보세요.

16쪽 · 17쪽

25일 쌓기나무의 위, 앞, 옆

월 일

❶ 쌓기나무로 쌓은 모양과 위에서 본 모양입니다. 앞과 옆에서 본 모양을 그려 보세요.

앞, 옆에서 볼 때 가장 높은 층까지 보입니다.

위 앞 옆

모눈 안에 모양을 그리는 위치는 달라도 정답입니다.

16 교과도형_F2

❶ 쌓기나무로 쌓은 모양과 위에서 본 모양입니다. 앞과 옆에서 본 모양을 그려 보세요.

위 앞 옆

모눈 안에 모양을 그리는 위치는 달라도 정답입니다.

1주_여러 방향에서 본 모양 17

18쪽

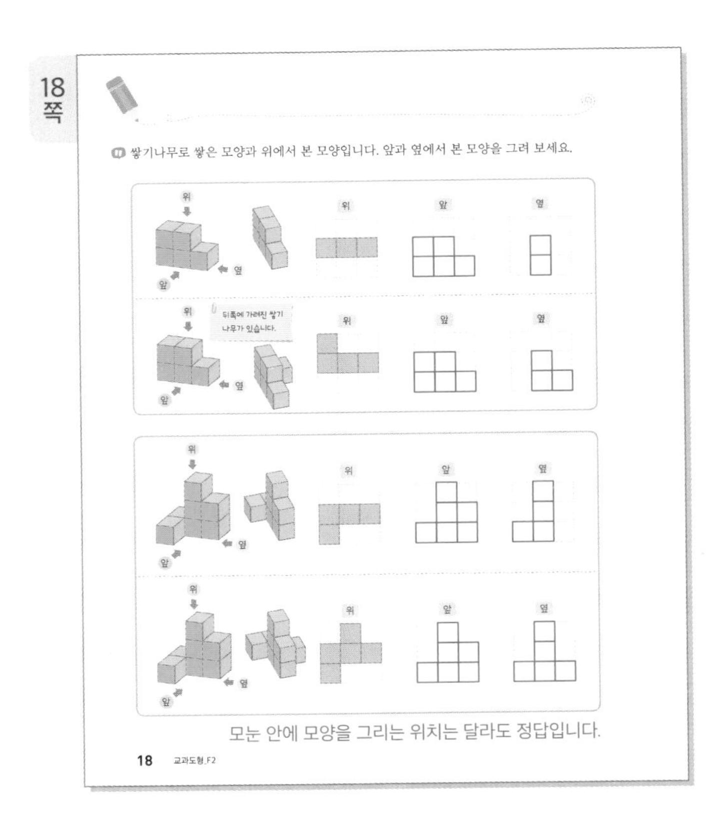
❶ 쌓기나무로 쌓은 모양과 위에서 본 모양입니다. 앞과 옆에서 본 모양을 그려 보세요.
뒤쪽에 가려진 쌓기나무가 있습니다.
위
앞
옆
모눈 안에 모양을 그리는 위치는 달라도 정답입니다.
18 교과도형_F2

2주차 위에서 본 모양

20쪽 • 21쪽

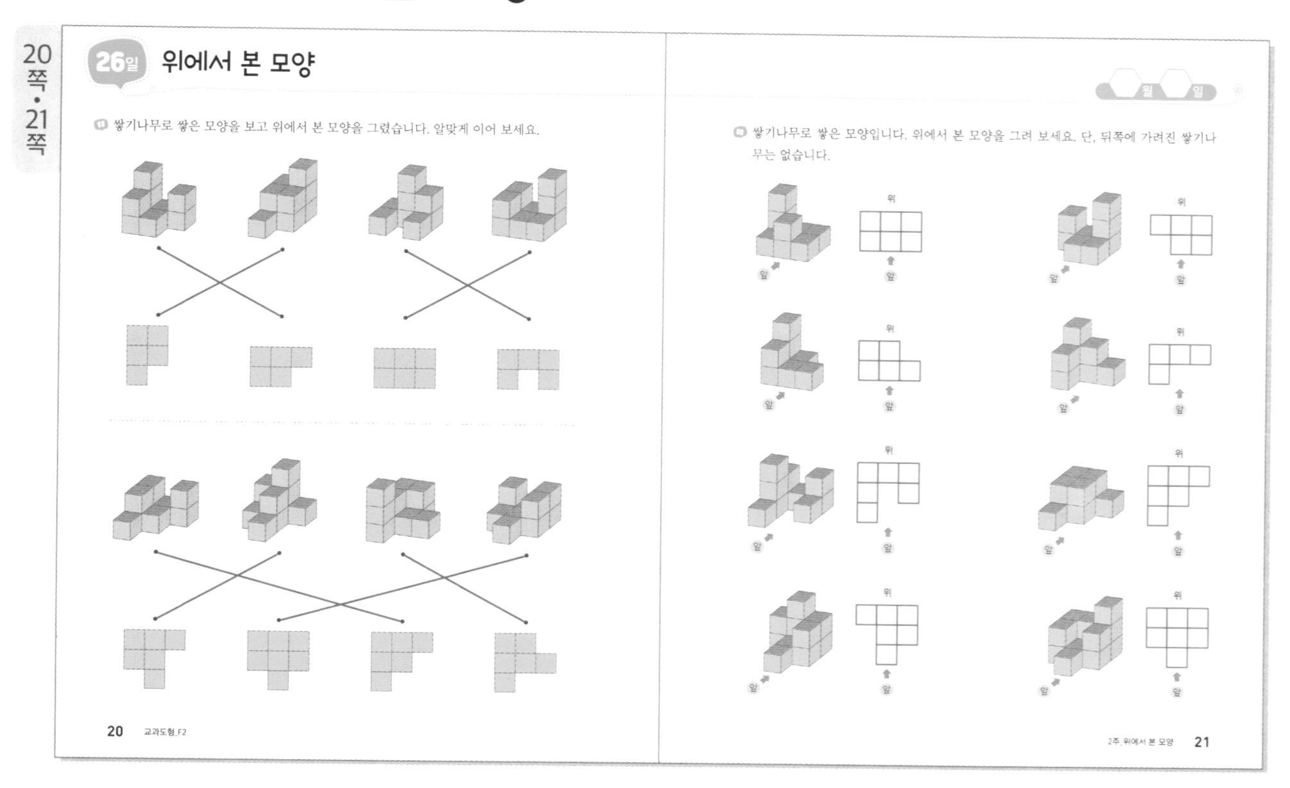

26일 위에서 본 모양
쌓기나무로 쌓은 모양을 보고 위에서 본 모양을 그렸습니다. 알맞게 이어 보세요.
쌓기나무로 쌓은 모양입니다. 위에서 본 모양을 그려 보세요. 단, 뒤쪽에 가려진 쌓기나무는 없습니다.
20 교과도형_F2
2주 위에서 본 모양 21

22쪽 • 23쪽

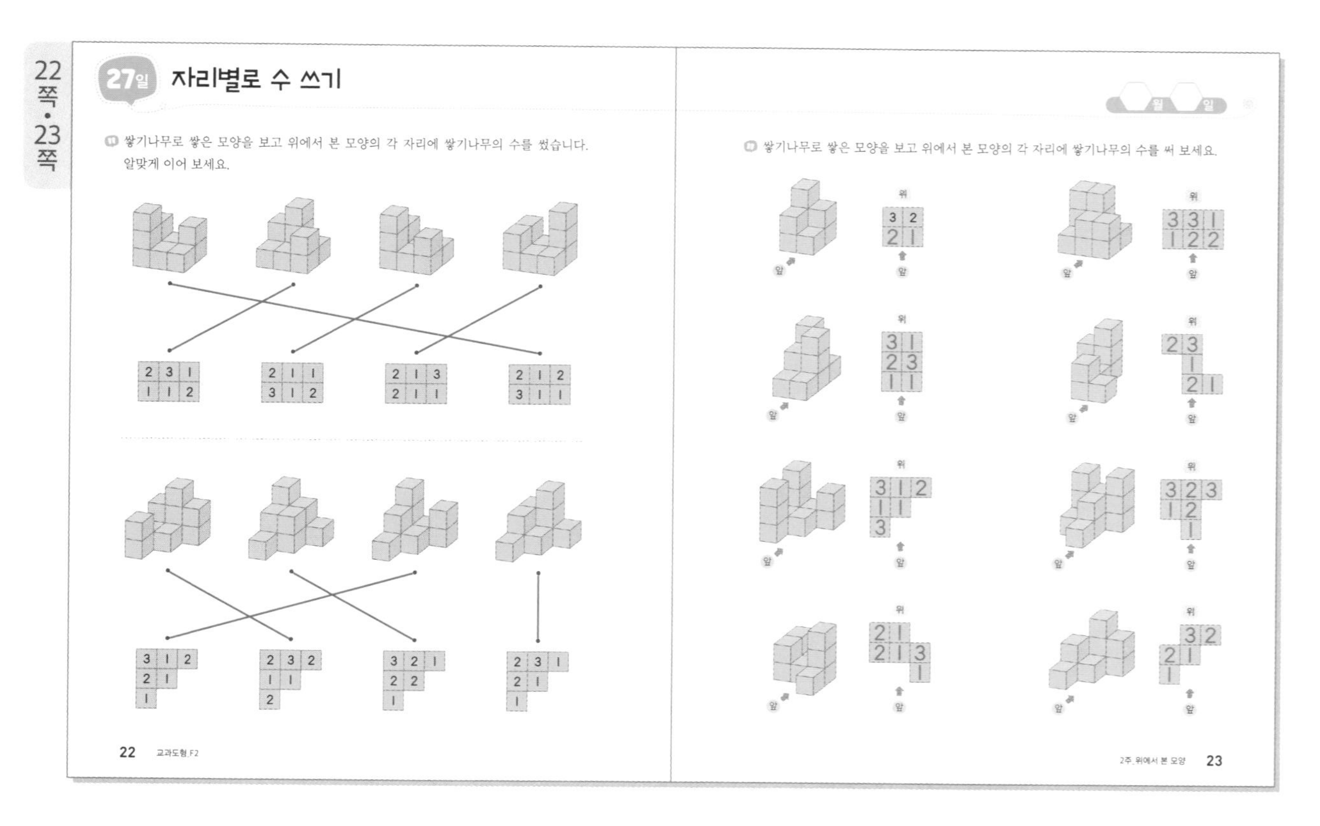

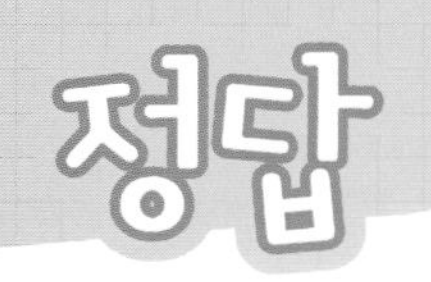
정답

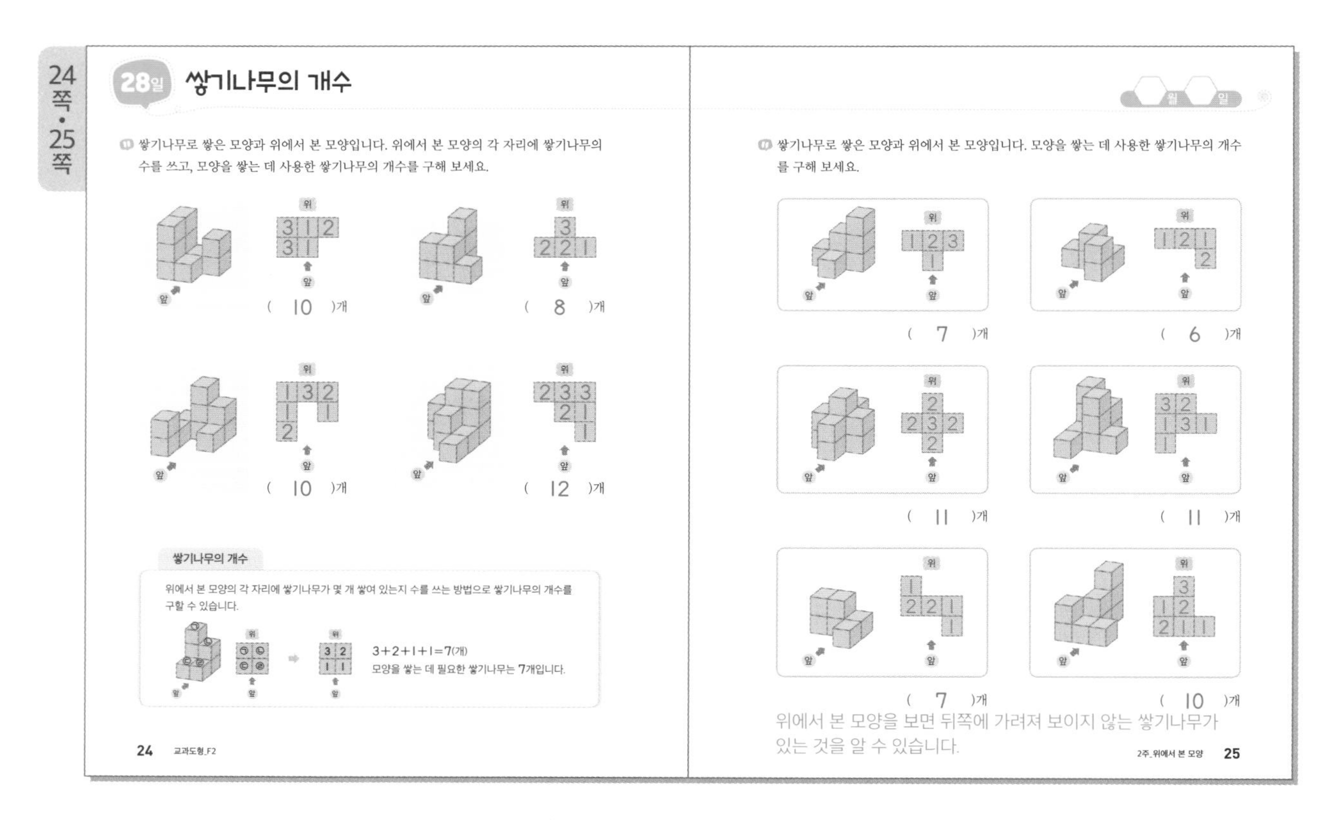
24쪽·25쪽
28일 쌓기나무의 개수
쌓기나무로 쌓은 모양과 위에서 본 모양입니다. 위에서 본 모양의 각 자리에 쌓기나무의 수를 쓰고, 모양을 쌓는 데 사용한 쌓기나무의 개수를 구해 보세요.
(10)개
(8)개
(10)개
(12)개
쌓기나무의 개수
위에서 본 모양의 각 자리에 쌓기나무가 몇 개 쌓여 있는지 수를 쓰는 방법으로 쌓기나무의 개수를 구할 수 있습니다.
3+2+1+1=7(개)
모양을 쌓는 데 필요한 쌓기나무는 7개입니다.
쌓기나무로 쌓은 모양과 위에서 본 모양입니다. 모양을 쌓는 데 사용한 쌓기나무의 개수를 구해 보세요.
(7)개
(6)개
(11)개
(11)개
(7)개
(10)개
위에서 본 모양을 보면 뒤쪽에 가려져 보이지 않는 쌓기나무가 있는 것을 알 수 있습니다.
24 교과도형_F2
2주_위에서 본 모양 25

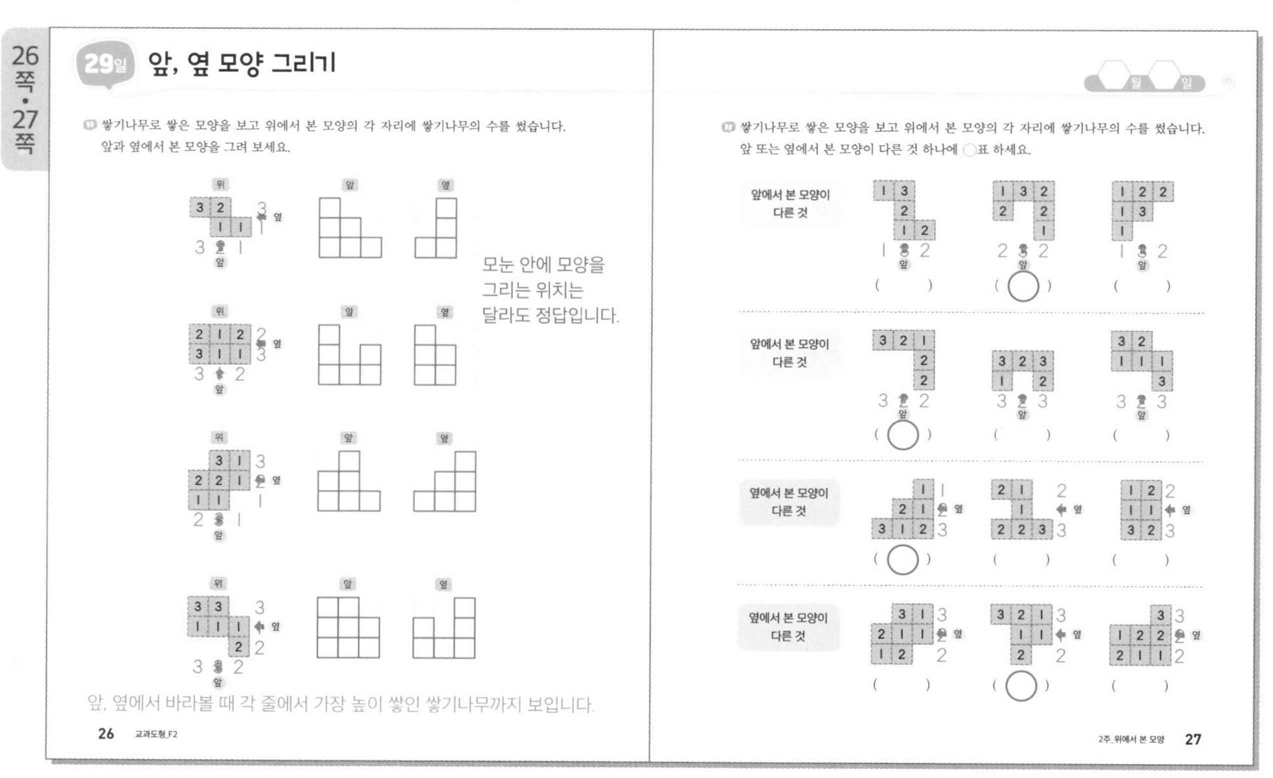
26쪽·27쪽
29일 앞, 옆 모양 그리기
쌓기나무로 쌓은 모양을 보고 위에서 본 모양의 각 자리에 쌓기나무의 수를 썼습니다. 앞과 옆에서 본 모양을 그려 보세요.
모눈 안에 모양을 그리는 위치는 달라도 정답입니다.
앞, 옆에서 바라볼 때 각 줄에서 가장 높이 쌓인 쌓기나무까지 보입니다.
쌓기나무로 쌓은 모양을 보고 위에서 본 모양의 각 자리에 쌓기나무의 수를 썼습니다. 앞 또는 옆에서 본 모양이 다른 것 하나에 ○표 하세요.
앞에서 본 모양이 다른 것
옆에서 본 모양이 다른 것
26 교과도형_F2
2주_위에서 본 모양 27

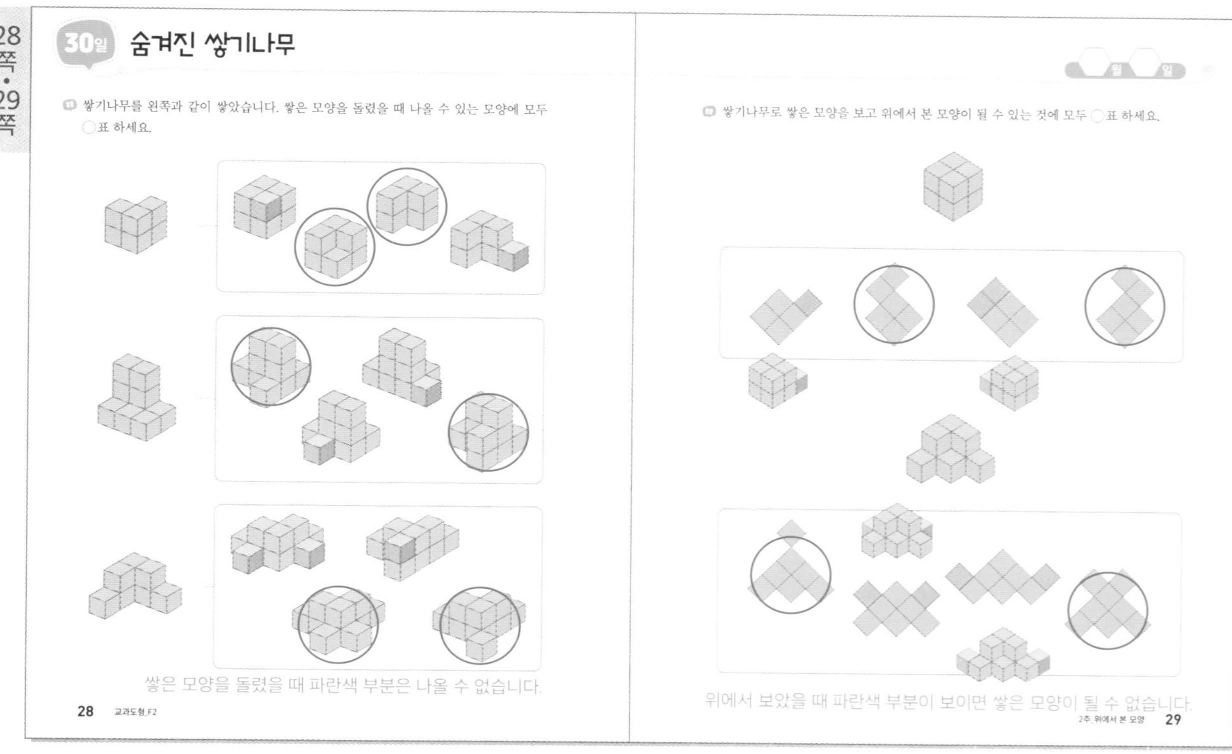
30일 숨겨진 쌓기나무
쌓기나무를 왼쪽과 같이 쌓았습니다. 쌓은 모양을 돌렸을 때 나올 수 있는 모양에 모두 ○표 하세요.
쌓은 모양을 돌렸을 때 파란색 부분은 나올 수 없습니다.
28 교과도형_F2
월 일
쌓기나무로 쌓은 모양을 보고 위에서 본 모양이 될 수 있는 것에 모두 ○표 하세요.
위에서 보았을 때 파란색 부분이 보이면 쌓은 모양이 될 수 없습니다.
2주. 위에서 본 모양 29

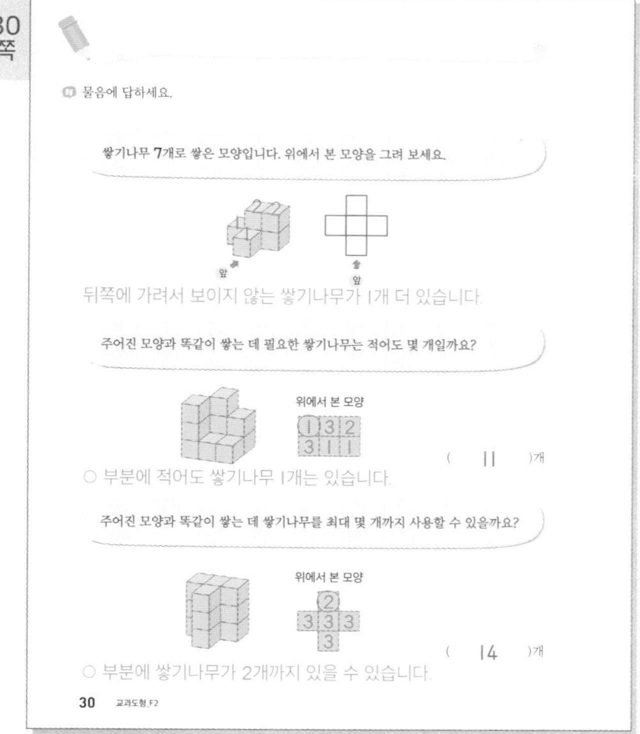
물음에 답하세요.
쌓기나무 7개로 쌓은 모양입니다. 위에서 본 모양을 그려 보세요.
앞
앞
뒤쪽에 가려서 보이지 않는 쌓기나무가 1개 더 있습니다.
주어진 모양과 똑같이 쌓는 데 필요한 쌓기나무는 적어도 몇 개일까요?
위에서 본 모양
(11)개
○ 부분에 적어도 쌓기나무 1개는 있습니다.
주어진 모양과 똑같이 쌓는 데 쌓기나무를 최대 몇 개까지 사용할 수 있을까요?
위에서 본 모양
(14)개
○ 부분에 쌓기나무가 2개까지 있을 수 있습니다.
30 교과도형_F2

3주차 위, 앞, 옆 모양

32쪽·33쪽

31일 쌓은 모양 찾기

월 일

쌓기나무로 쌓은 모양을 위, 앞, 옆에서 본 모양입니다. 쌓은 모양을 찾아 ○표 하세요.

위 앞 옆

앞 옆 ( ) 앞 옆 ( ) 앞 옆 ( ) 앞 옆 (○)

위 앞 옆

앞 옆 ( ) 앞 옆 (○) 앞 옆 ( ) 앞 옆 ( )

쌓기나무로 쌓은 모양을 위, 앞, 옆에서 본 모양입니다. 쌓은 모양으로 가능한 것을 찾아 모두 ○표 하세요.

위 앞 옆

앞 옆 (○) 앞 옆 ( ) 앞 옆 (○) 앞 옆 ( )

위 앞 옆

앞 옆 ( ) 앞 옆 (○) 앞 옆 ( ) 앞 옆 (○)

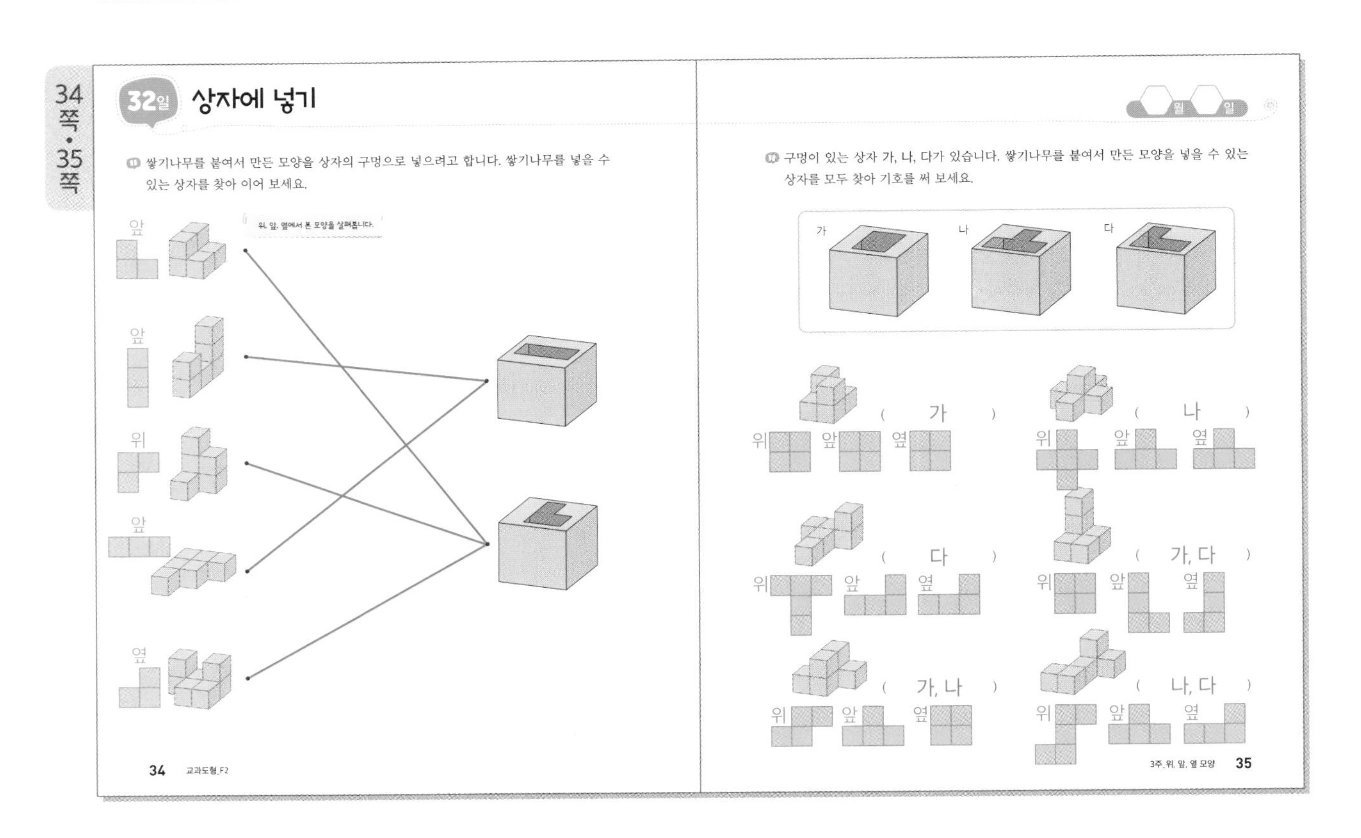
34쪽·35쪽

32일 상자에 넣기

월 일

쌓기나무를 붙여서 만든 모양을 상자의 구멍으로 넣으려고 합니다. 쌓기나무를 넣을 수 있는 상자를 찾아 이어 보세요.

위, 앞, 옆에서 본 모양을 살펴봅니다.

앞

앞

위

앞

옆

구멍이 있는 상자 가, 나, 다가 있습니다. 쌓기나무를 붙여서 만든 모양을 넣을 수 있는 상자를 모두 찾아 기호를 써 보세요.

가 나 다

(가) 위 앞 옆

(나) 위 앞 옆

(다) 위 앞 옆

(가, 다) 위 앞 옆

(가, 나) 위 앞 옆

(나, 다) 위 앞 옆

34 교과도형_F2

3주_위, 앞, 옆 모양 35

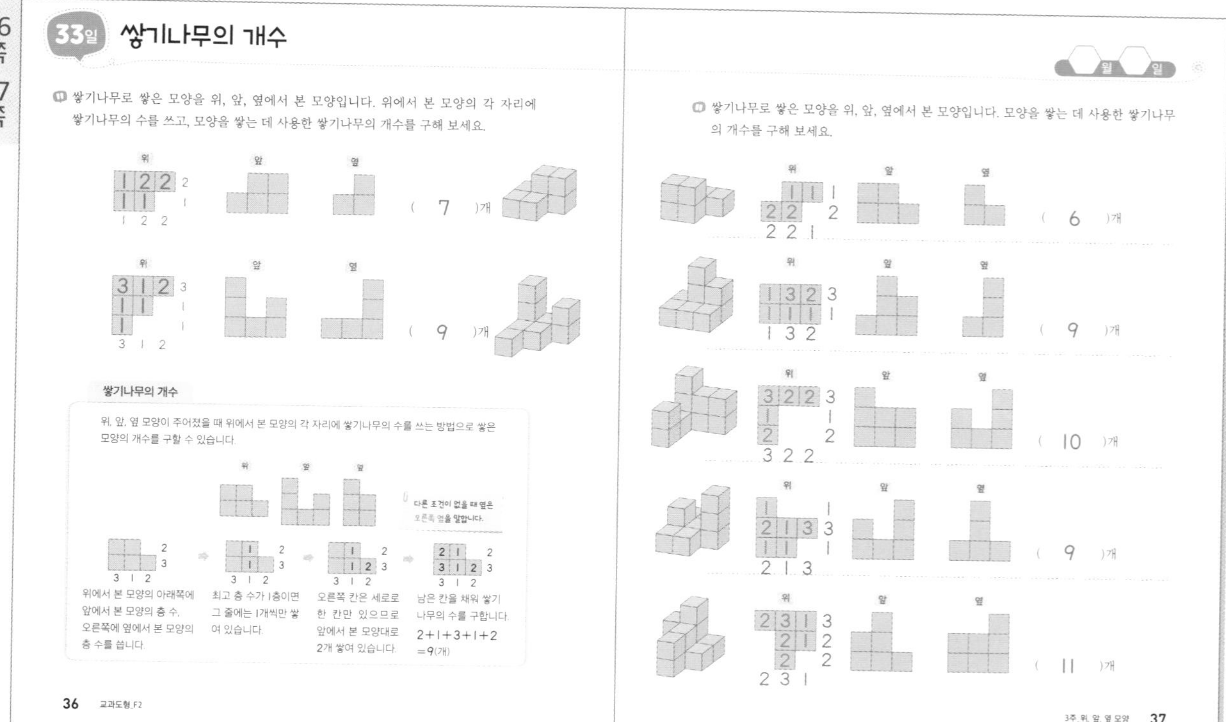

33일 쌓기나무의 개수

월 일

11 쌓기나무로 쌓은 모양을 위, 앞, 옆에서 본 모양입니다. 위에서 본 모양의 각 자리에 쌓기나무의 수를 쓰고, 모양을 쌓는 데 사용한 쌓기나무의 개수를 구해 보세요.

위 앞 옆 (7)개

위 앞 옆 (9)개

쌓기나무의 개수

위, 앞, 옆 모양이 주어졌을 때 위에서 본 모양의 각 자리에 쌓기나무의 수를 쓰는 방법으로 쌓은 모양의 개수를 구할 수 있습니다.

다른 조건이 없을 때 옆은 오른쪽 옆을 말합니다.

위에서 본 모양의 아래쪽에 앞에서 본 모양의 층 수, 오른쪽에 옆에서 본 모양의 층 수를 씁니다.

최고 층 수가 1층이면 그 줄에는 1개씩만 쌓여 있습니다.

오른쪽 칸은 세로로 한 칸만 있으므로 앞에서 본 모양대로 2개 쌓여 있습니다.

남은 칸을 채워 쌓기나무의 수를 구합니다. 2+1+3+1+2 =9(개)

12 쌓기나무로 쌓은 모양을 위, 앞, 옆에서 본 모양입니다. 모양을 쌓는 데 사용한 쌓기나무의 개수를 구해 보세요.

(6)개

(9)개

(10)개

(9)개

(11)개

36 교과도형_F2

3주. 위, 앞, 옆 모양 37

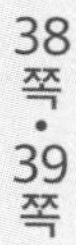

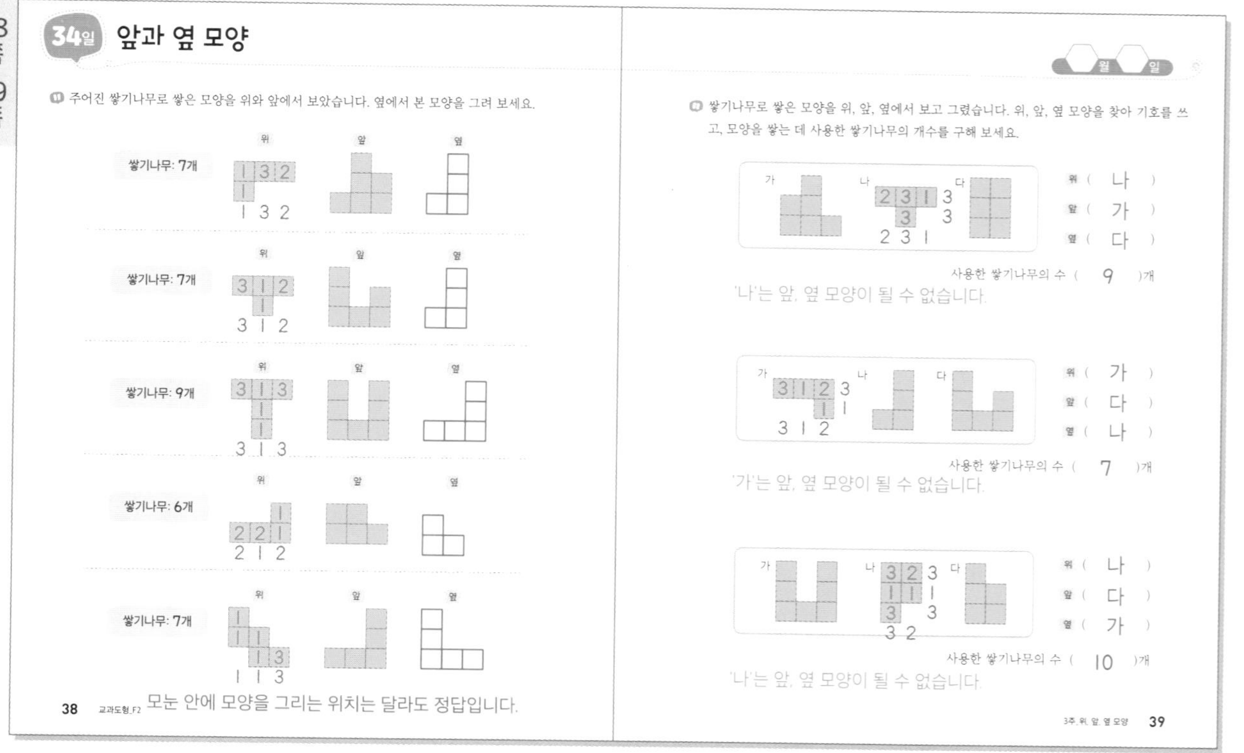

34일 앞과 옆 모양

월 일

11 주어진 쌓기나무로 쌓은 모양을 위와 앞에서 보았습니다. 옆에서 본 모양을 그려 보세요.

쌓기나무: 7개 위 앞 옆

쌓기나무: 7개 위 앞 옆

쌓기나무: 9개 위 앞 옆

쌓기나무: 6개 위 앞 옆

쌓기나무: 7개 위 앞 옆

모눈 안에 모양을 그리는 위치는 달라도 정답입니다.

12 쌓기나무로 쌓은 모양을 위, 앞, 옆에서 보고 그렸습니다. 위, 앞, 옆 모양을 찾아 기호를 쓰고, 모양을 쌓는 데 사용한 쌓기나무의 개수를 구해 보세요.

위 (나) 앞 (가) 옆 (다)

사용한 쌓기나무의 수 (9)개

'나'는 앞, 옆 모양이 될 수 없습니다.

위 (가) 앞 (다) 옆 (나)

사용한 쌓기나무의 수 (7)개

'가'는 앞, 옆 모양이 될 수 없습니다.

위 (나) 앞 (다) 옆 (가)

사용한 쌓기나무의 수 (10)개

'나'는 앞, 옆 모양이 될 수 없습니다.

38 교과도형_F2

3주. 위, 앞, 옆 모양 39

40쪽·41쪽

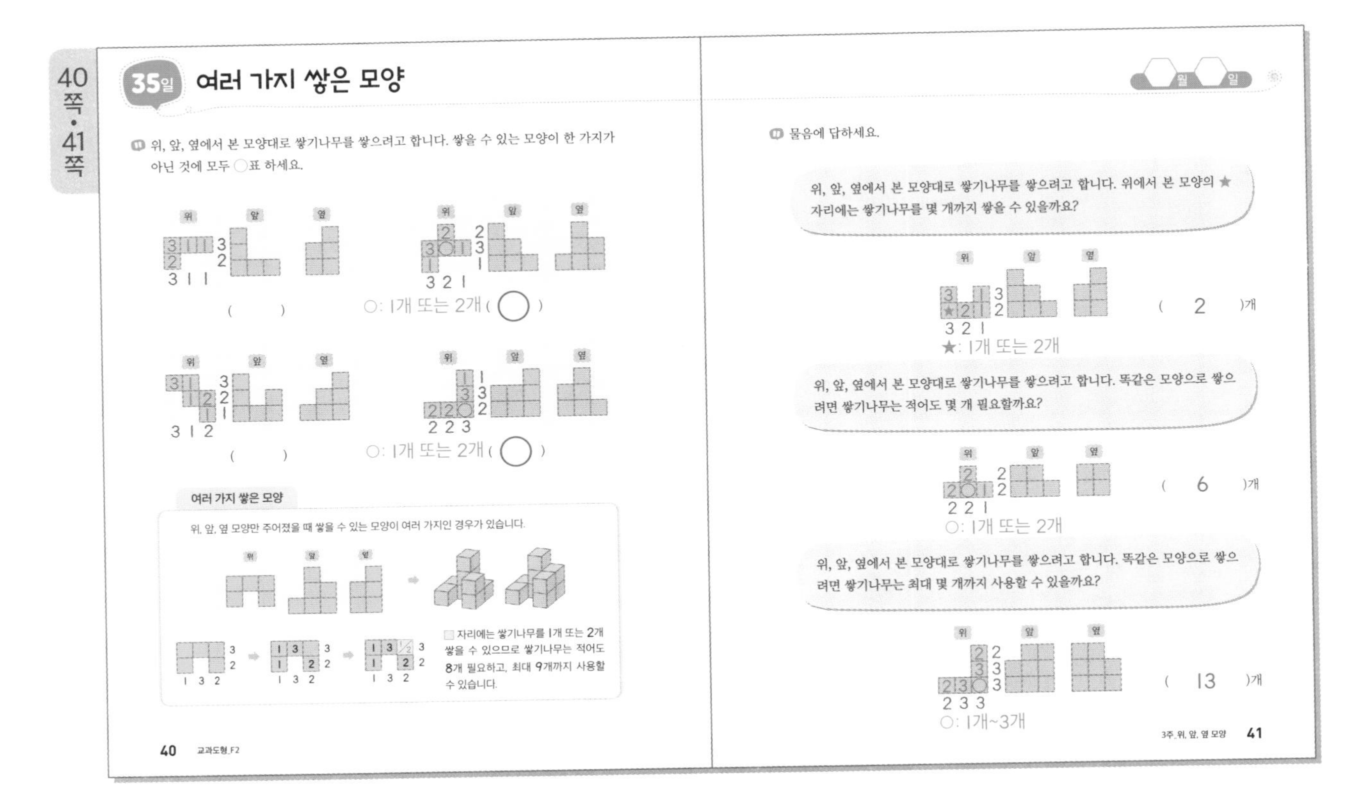

42쪽

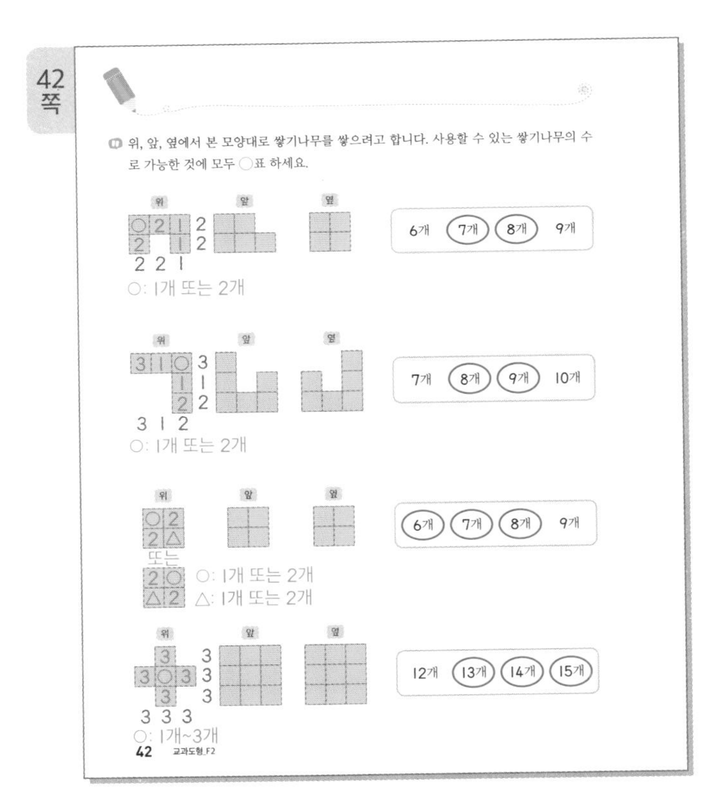

4주차 층별로 나타낸 모양

44쪽·45쪽

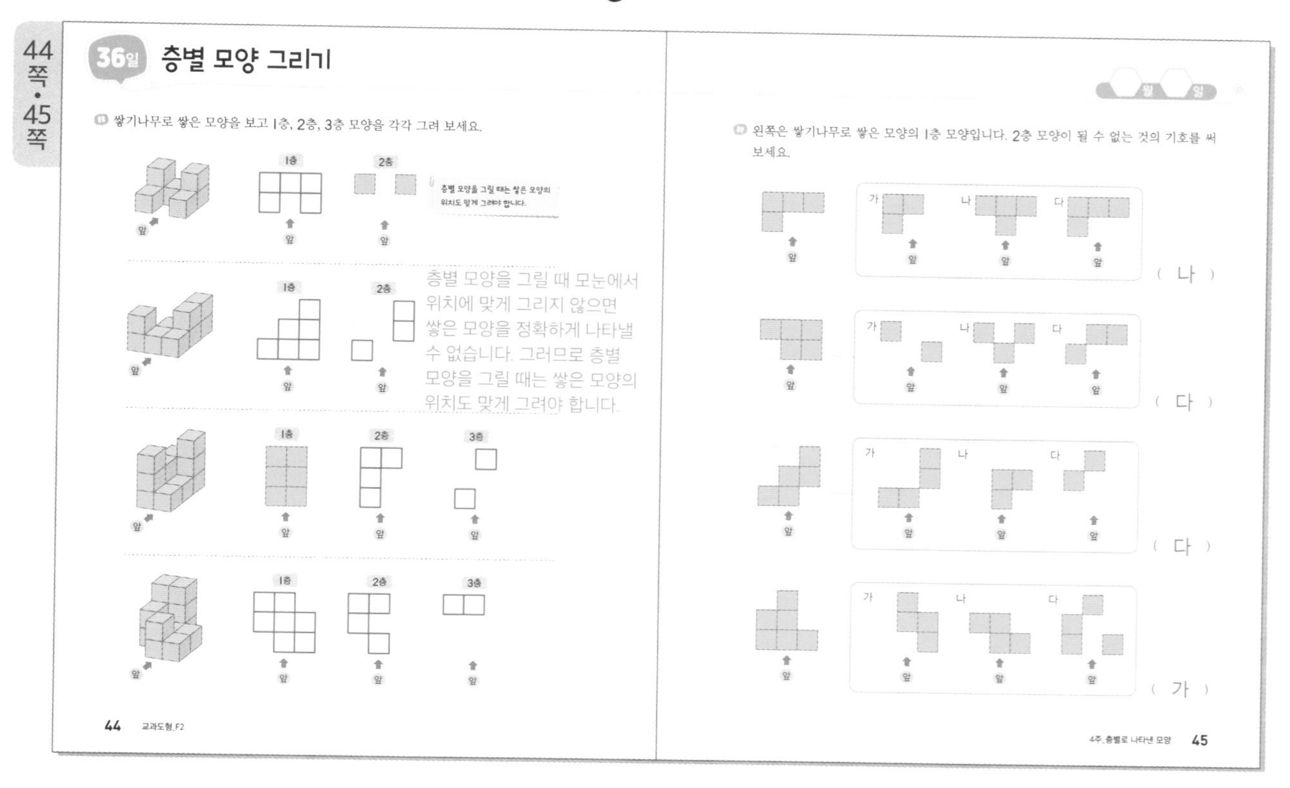

36일 층별 모양 그리기
쌓기나무로 쌓은 모양을 보고 1층, 2층, 3층 모양을 각각 그려 보세요.
층별 모양을 그릴 때 모눈에서 위치에 맞게 그리지 않으면 쌓은 모양을 정확하게 나타낼 수 없습니다. 그러므로 층별 모양을 그릴 때는 쌓은 모양의 위치도 맞게 그려야 합니다.
왼쪽은 쌓기나무로 쌓은 모양의 1층 모양입니다. 2층 모양이 될 수 없는 것의 기호를 써 보세요.
(나)
(다)
(다)
(가)

46쪽·47쪽

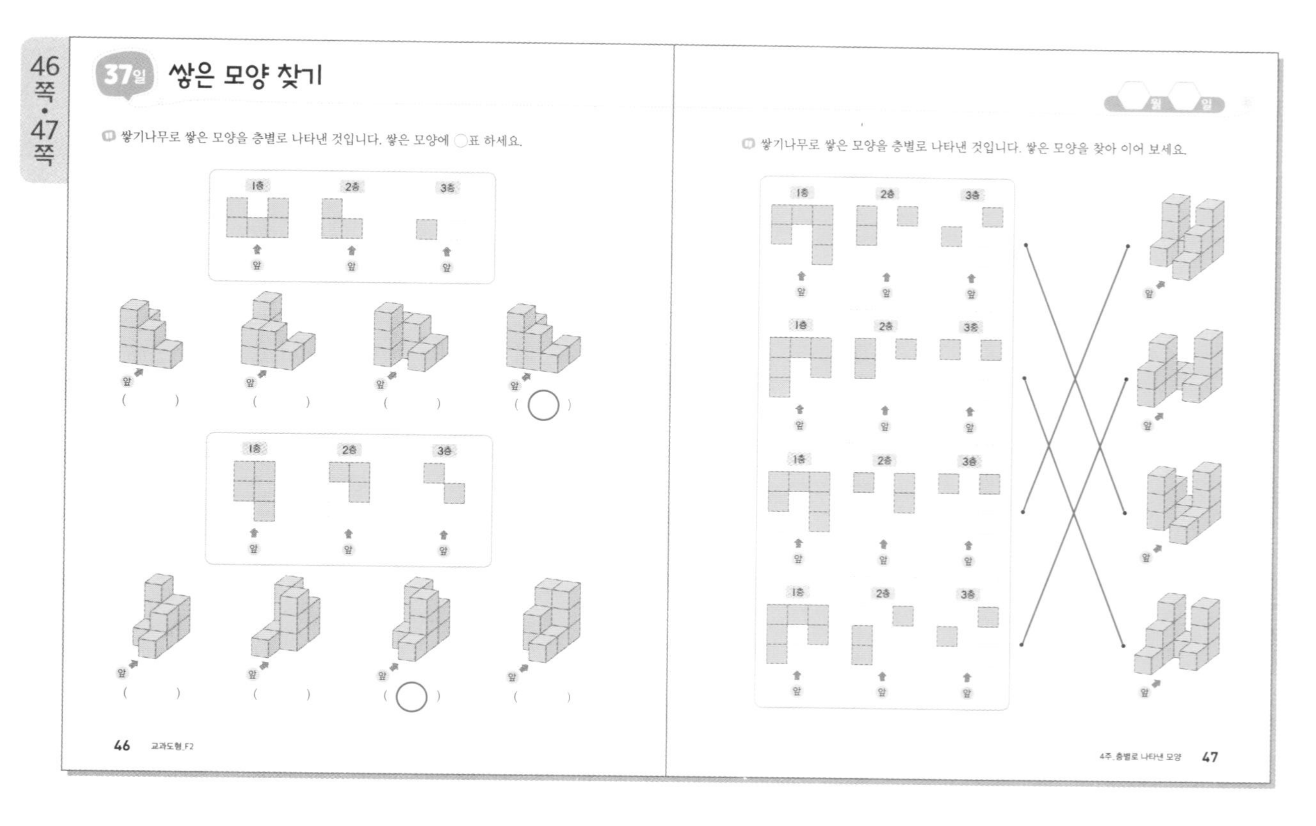

37일 쌓은 모양 찾기
쌓기나무로 쌓은 모양을 층별로 나타낸 것입니다. 쌓은 모양에 ○표 하세요.
쌓기나무로 쌓은 모양을 층별로 나타낸 것입니다. 쌓은 모양을 찾아 이어 보세요.

48쪽 • 49쪽

38일 쌓기나무의 개수

월 일

1 쌓기나무로 쌓은 모양을 층별로 나타낸 것입니다. 모양을 쌓는 데 사용한 쌓기나무의 개수를 구해 보세요.

1층 2층 3층 (앞)

1층: 4개
2층: 3개
3층: 1개
(8)개

1층: 5개
2층: 3개
3층: 2개
(10)개

1층: 5개
2층: 4개
3층: 2개
(11)개

1층: 6개
2층: 3개
3층: 3개
(12)개

2 쌓기나무로 쌓은 모양과 위에서 본 모양을 보고 모양을 쌓는 데 사용한 쌓기나무의 개수를 구하려고 합니다. 빈칸에 알맞은 수를 써넣으세요.

위: ㉠ ㉡ ㉢ / ㉣ ㉤ (앞)

층별로 사용한 개수를 보면 1층에 5개, 2층에 3개, 3층에 1개이므로 모두 9개 사용했습니다.

위에서 본 모양에 수를 쓰면 ㉠에 3개, ㉡에 2개, ㉢에 2개, ㉣에 1개, ㉤에 1개이므로 모두 9개 사용했습니다.

위: ㉠ / ㉡ ㉢ / ㉣ ㉤ ㉥ (앞)

층별로 사용한 개수를 보면 1층에 6개, 2층에 4개, 3층에 2개이므로 모두 12개 사용했습니다.

위에서 본 모양에 수를 쓰면 ㉠에 3개, ㉡에 3개, ㉢에 1개, ㉣에 2개, ㉤에 2개, ㉥에 1개이므로 모두 12개 사용했습니다.

48 교과도형_F2

4주_층별로 나타낸 모양 49

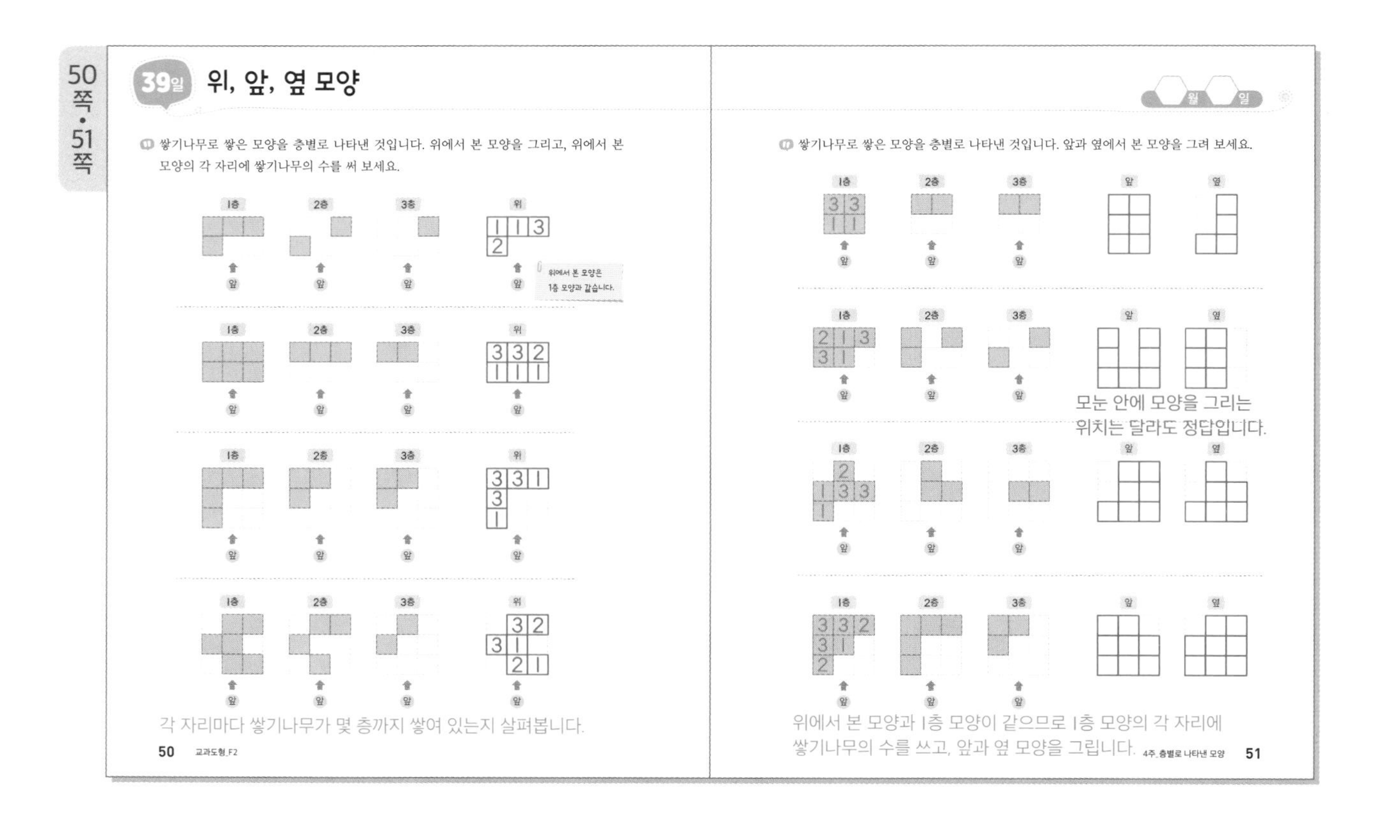
50쪽 • 51쪽

39일 위, 앞, 옆 모양

월 일

1 쌓기나무로 쌓은 모양을 층별로 나타낸 것입니다. 위에서 본 모양을 그리고, 위에서 본 모양의 각 자리에 쌓기나무의 수를 써 보세요.

1층 2층 3층 위 (앞)

위에서 본 모양은 1층 모양과 같습니다.

각 자리마다 쌓기나무가 몇 층까지 쌓여 있는지 살펴봅니다.

2 쌓기나무로 쌓은 모양을 층별로 나타낸 것입니다. 앞과 옆에서 본 모양을 그려 보세요.

1층 2층 3층 앞 옆

모눈 안에 모양을 그리는 위치는 달라도 정답입니다.

위에서 본 모양과 1층 모양이 같으므로 1층 모양의 각 자리에 쌓기나무의 수를 쓰고, 앞과 옆 모양을 그립니다.

50 교과도형_F2

4주_층별로 나타낸 모양 51

52쪽·53쪽

40일 층별 모양 찾기

1 쌓기나무로 쌓은 모양의 1층 모양을 보고 2층과 3층 모양을 찾아 각각 기호를 써 보세요.
단, 2층과 3층 모양은 서로 다릅니다.

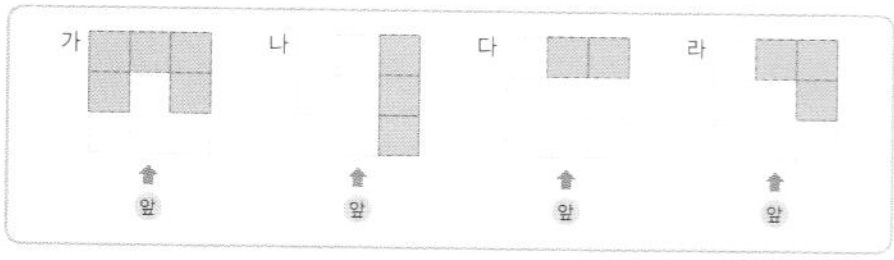

1층	2층	3층
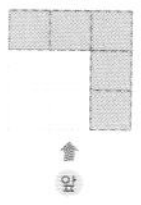	(라)	(다)

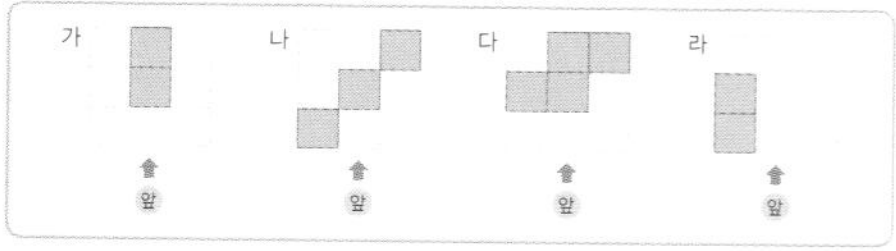

1층	2층	3층
	(다)	(가)

1 쌓기나무로 쌓은 모양의 3층 모양을 보고 1층과 2층 모양을 찾아 각각 기호를 써 보세요.
단, 1층과 2층 모양은 서로 다릅니다.

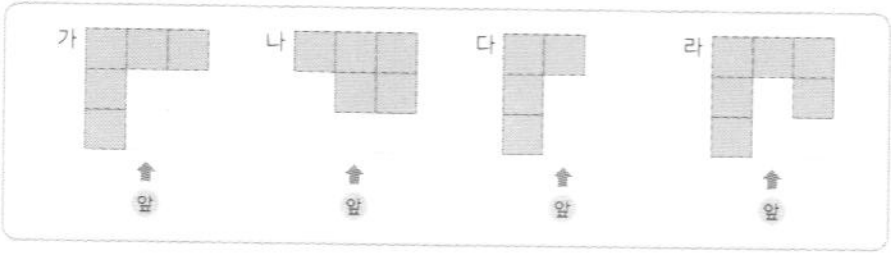

1층	2층	3층
(라)	(가)	

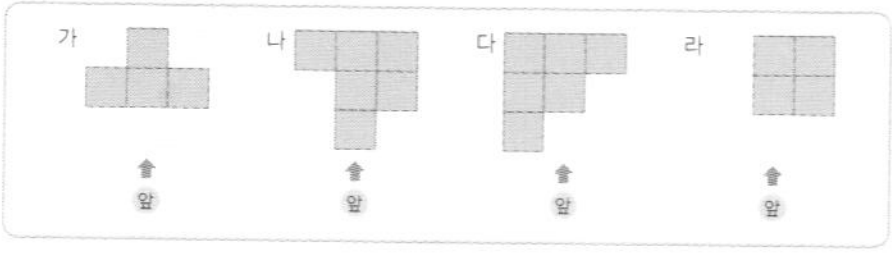

1층	2층	3층
(나)	(라)	

54쪽

1 쌓기나무로 쌓은 3층짜리 모양 2개를 층별로 나타낸 것입니다. 각 모양의 1층, 2층, 3층 모양을 찾아 기호를 써 보세요.

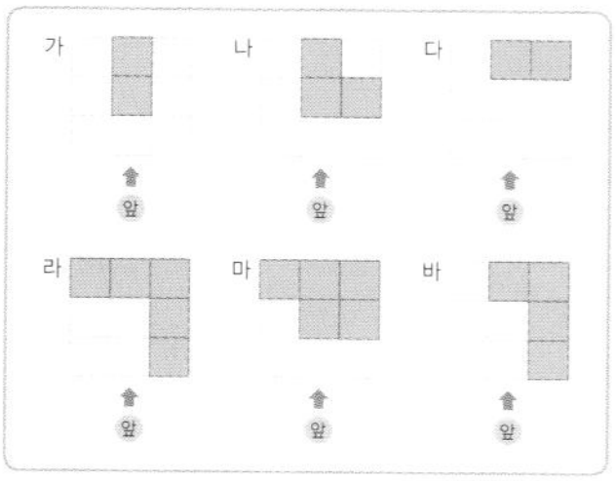

3층	다
2층	바
1층	라

3층	가
2층	나
1층	마

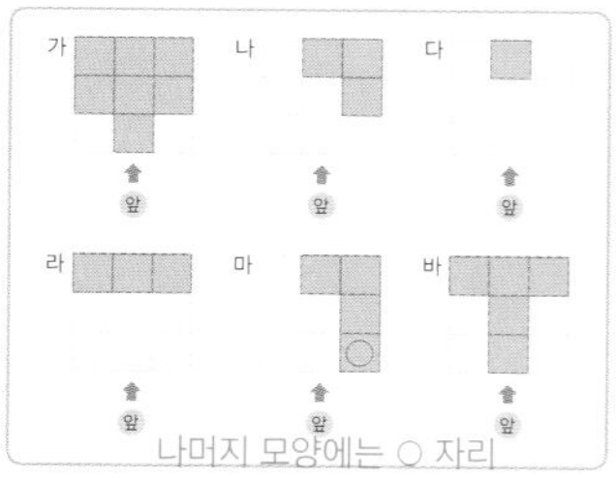

3층	라
2층	바
1층	가

3층	다
2층	나
1층	마

나머지 모양에는 ○ 자리에 쌓기나무가 없으므로 '마'는 1층 모양입니다.

도형플러스+ 모양 만들기

56쪽·57쪽

PLUS 1 같은 모양 찾기

월 일

쌓기나무 4개로 만든 모양입니다. 서로 같은 두 모양끼리 각각 기호를 써 보세요.

가 나 다 라 마 바

(가 , 마) (나 , 바) (다 , 라)

가 나 다 라 마 바

(가 , 다) (나 , 마) (라 , 바)

가 또는 다 모양을 아무리 뒤집거나 돌려도 라 또는 바 모양과 겹쳐지지 않습니다.

다른 모양 하나를 찾아 ×표 하세요.

56 교과도형_F2

도형플러스 57

58쪽·59쪽

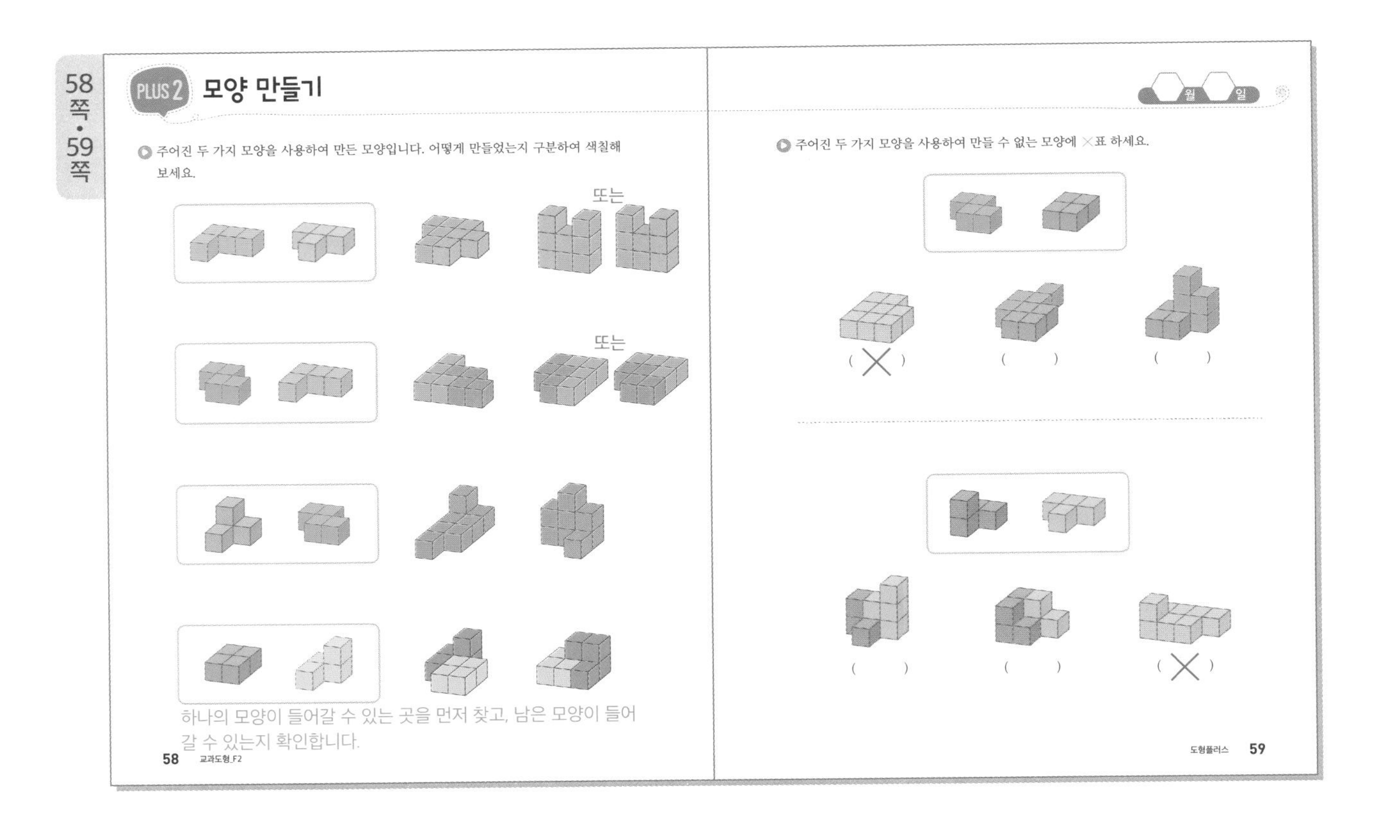

PLUS 2 모양 만들기
월 일
주어진 두 가지 모양을 사용하여 만든 모양입니다. 어떻게 만들었는지 구분하여 색칠해 보세요.
또는
또는
하나의 모양이 들어갈 수 있는 곳을 먼저 찾고, 남은 모양이 들어갈 수 있는지 확인합니다.
58 교과도형_F2
주어진 두 가지 모양을 사용하여 만들 수 없는 모양에 ×표 하세요.
(×) ( ) ( )
( ) ( ) (×)
도형플러스 59

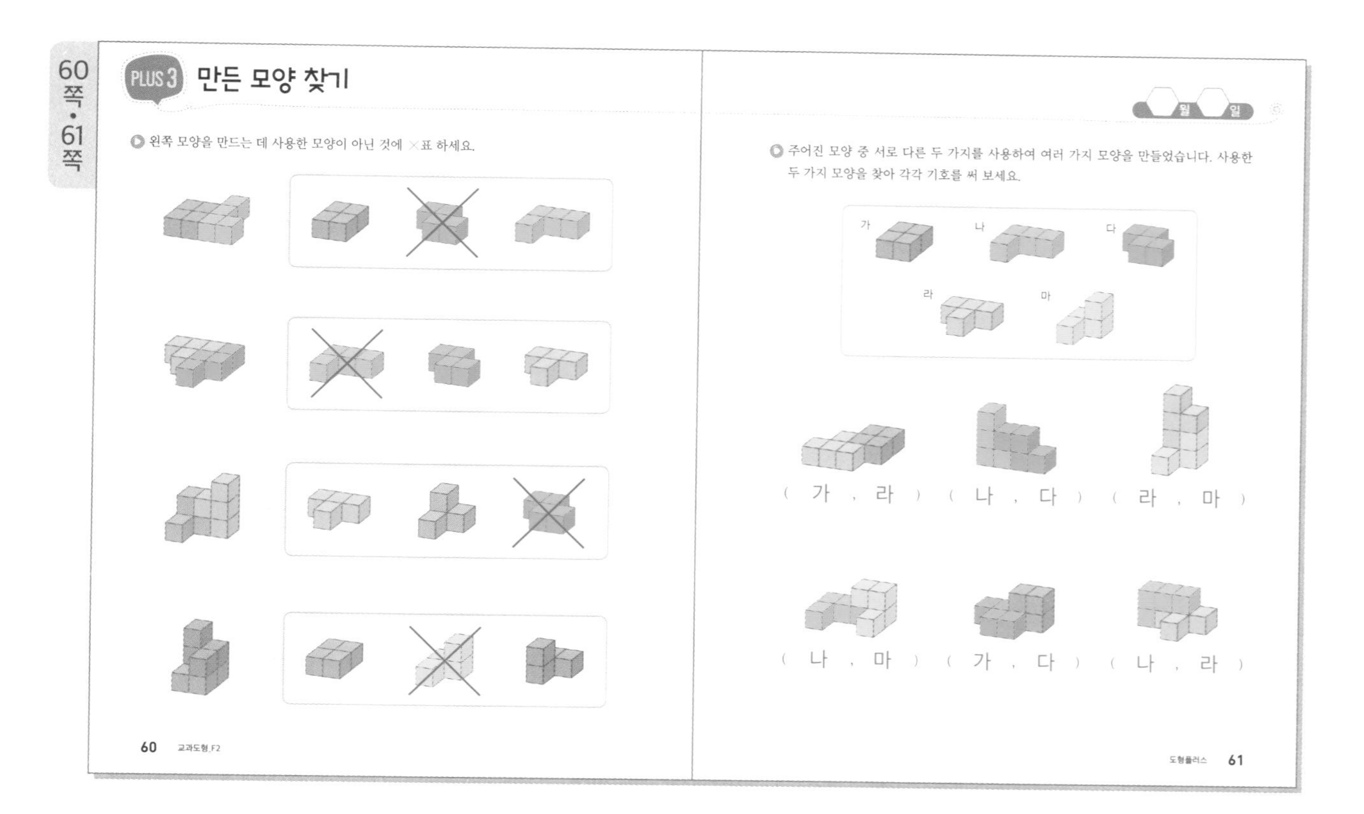

[입체도형의 거울상]

평면도형에서는 거울에 비친 모양이 뒤집은 모양과 같은 모양이지만 입체도형에서는 거울에 비친 모양이 완전히 다른 모양이 될 수도 있습니다.

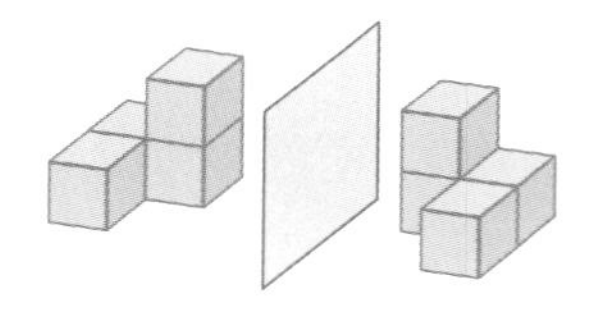

쌓기나무 4개로 만든 위의 두 모양은 서로 거울상이지만 뒤집거나 돌려도 서로 겹쳐지지 않는 다른 모양입니다.

64쪽·65쪽

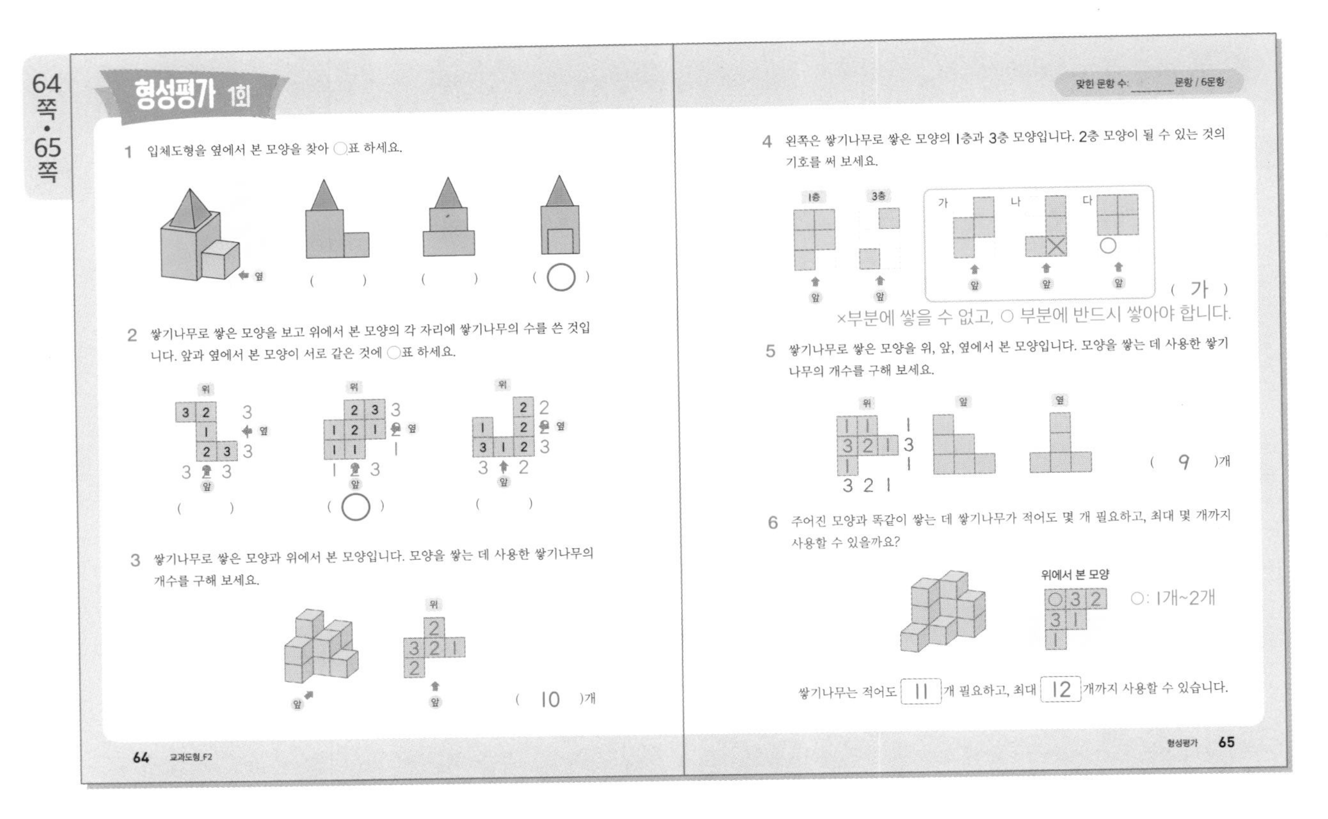

형성평가 1회

맞힌 문항 수: ______ 문항 / 6문항

1 입체도형을 옆에서 본 모양을 찾아 ○표 하세요.

( ) ( ) (○)

2 쌓기나무로 쌓은 모양을 보고 위에서 본 모양의 각 자리에 쌓기나무의 수를 쓴 것입니다. 앞과 옆에서 본 모양이 서로 같은 것에 ○표 하세요.

( ) (○) ( )

3 쌓기나무로 쌓은 모양과 위에서 본 모양입니다. 모양을 쌓는 데 사용한 쌓기나무의 개수를 구해 보세요.

(10)개

4 왼쪽은 쌓기나무로 쌓은 모양의 1층과 3층 모양입니다. 2층 모양이 될 수 있는 것의 기호를 써 보세요.

(가)

×부분에 쌓을 수 없고, ○ 부분에 반드시 쌓아야 합니다.

5 쌓기나무로 쌓은 모양을 위, 앞, 옆에서 본 모양입니다. 모양을 쌓는 데 사용한 쌓기나무의 개수를 구해 보세요.

(9)개

6 주어진 모양과 똑같이 쌓는 데 쌓기나무가 적어도 몇 개 필요하고, 최대 몇 개까지 사용할 수 있을까요?

위에서 본 모양

○: 1개~2개

쌓기나무는 적어도 11 개 필요하고, 최대 12 개까지 사용할 수 있습니다.

64 교과도형_F2

형성평가 65

66쪽·67쪽

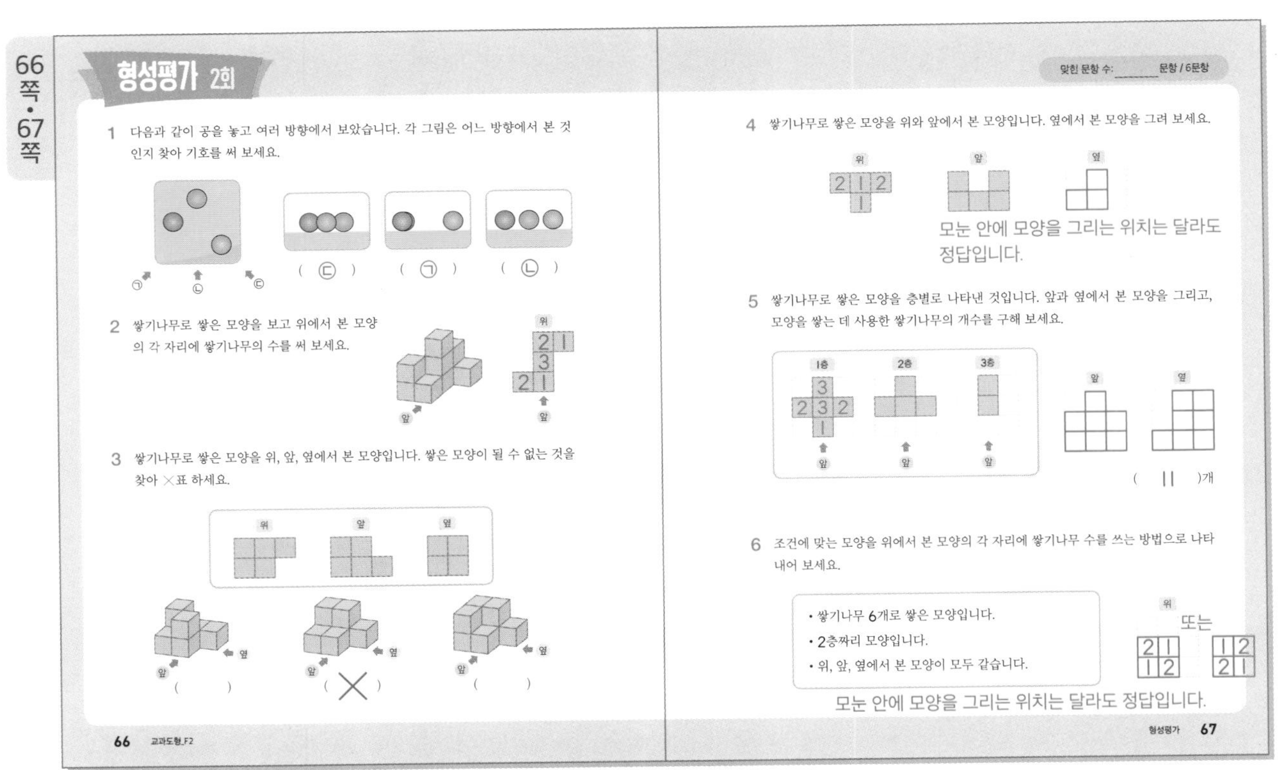

형성평가 2회

맞힌 문항 수: ______ 문항 / 6문항

1 다음과 같이 공을 놓고 여러 방향에서 보았습니다. 각 그림은 어느 방향에서 본 것인지 찾아 기호를 써 보세요.

(㉢) (㉠) (㉡)

2 쌓기나무로 쌓은 모양을 보고 위에서 본 모양의 각 자리에 쌓기나무의 수를 써 보세요.

3 쌓기나무로 쌓은 모양을 위, 앞, 옆에서 본 모양입니다. 쌓은 모양이 될 수 없는 것을 찾아 ×표 하세요.

( ) (×) ( )

4 쌓기나무로 쌓은 모양을 위와 앞에서 본 모양입니다. 옆에서 본 모양을 그려 보세요.

모눈 안에 모양을 그리는 위치는 달라도 정답입니다.

5 쌓기나무로 쌓은 모양을 층별로 나타낸 것입니다. 앞과 옆에서 본 모양을 그리고, 모양을 쌓는 데 사용한 쌓기나무의 개수를 구해 보세요.

(11)개

6 조건에 맞는 모양을 위에서 본 모양의 각 자리에 쌓기나무 수를 쓰는 방법으로 나타내어 보세요.

- 쌓기나무 6개로 쌓은 모양입니다.
- 2층짜리 모양입니다.
- 위, 앞, 옆에서 본 모양이 모두 같습니다.

또는

모눈 안에 모양을 그리는 위치는 달라도 정답입니다.

66 교과도형_F2

형성평가 67

하루 한 장 60일 집중 완성 교과도형

“한 권이면 충분합니다.”

감각
sense

도형 학습의 바탕이 되는
공간감각을 길러줍니다.

표현
expression

도형을 다양한 문장과 그림,
수식으로 표현합니다.

측정
measurement

측정을 더하여
도형 학습을 완성합니다.